Concevoir et lancer un projet

De l'idée au succès

D1550562

Éditions d'Organisation
Groupe Eyrolles
61, bd Saint-Germain
75240 Paris cedex 05

www.editions-organisation.com
www.editions-eyrolles.com

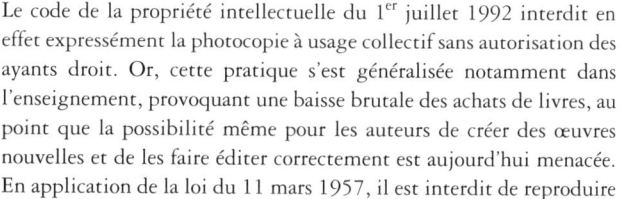

Dr Raphaël Cohen

Concevoir et lancer un projet

De l'idée au succès

Troisième tirage 2007

EYROLLES

Éditions d'Organisation

Sommaire

Introduction

« En fin de compte, la production d'idées est plutôt abondante. C'est leur mise en œuvre qui est rare[1]. » Le passage à l'acte se révèle ardu… Pour remédier à cette difficulté, une réflexion stratégique appropriée aux projets innovants doit être engagée afin d'aboutir à un plan d'action capable de concrétiser l'idée en question.

Il existe déjà de nombreux ouvrages consacrés à la créativité ou à la recherche d'idées. C'est pourquoi nous avons résolument choisi de nous focaliser sur l'étape suivante, la validation, préalable indispensable à une mise en œuvre donnant des résultats durables et pertinents.

Il nous a semblé néanmoins nécessaire d'aborder quelques thèmes complémentaires, comme :

- l'identification des opportunités ;
- le potentiel de l'innovation non technologique ;
- les conditions requises pour institutionnaliser l'innovation ;
- la recherche d'avantages concurrentiels au sein des grandes organisations.

Sans validation, implicite ou explicite, le succès de la concrétisation d'une idée est très aléatoire. Le modèle IpOp est l'inventaire des questions clés que se posent ceux qui réussissent, mais aussi qu'omettent de se poser les malheureux qui échouent. Il n'est vraisemblablement pas exhaustif, mais pose les bases d'un guide qui pourra être complété par des réflexions et des études ultérieures.

---

1. Levitt T., *Creativity is not enough*, HBR, 2006.

L'intérêt d'un modèle est de définir un cadre de référence qui structure la réflexion, comme c'est le cas pour l'analyse SWOT[1].

Le modèle IpOp est fondamentalement générique. Il a d'ailleurs été utilisé dans de nombreux domaines : lancement de nouveaux services, changement de processus, création de logiciels, nouvelles approches marketing, développement de nouveaux produits, mise en œuvre de projets sociaux, caritatifs ou du secteur public, etc.

Ce nouveau modèle s'appuie sur notre expérience d'entrepreneur, d'« ange d'affaires[2] », d'investisseur, de professeur d'entrepreneurship et aussi de mentor de nombreux projets. Il intègre tant les leçons des succès que celles des échecs.

En conclusion, le modèle IpOp enrichit la créativité d'une discipline structurante qui augmente les chances de réussir.

Comme ce modèle a l'ambition d'être accessible à tous les porteurs de projets, cet ouvrage a été conçu de manière simple. Nous avons donc renoncé aux citations et au jargon sophistiqué afin d'alléger la lecture. Vous ne trouverez pas non plus de justifications s'appuyant sur des études quantitatives. La seule contrainte est celle du vocabulaire : le fait que chaque concept porte un nom bien spécifique facilite la communication, en homogénéisant les termes employés par tous les acteurs du projet.

Au fil des chapitres, une représentation graphique du modèle se construit progressivement.

Pour illustrer l'utilisation du modèle IpOp, nous avons aussi choisi un fil conducteur : le lancement de Nespresso Classic. Bien que l'aventure Nespresso ait débuté avant la création du modèle, la réflexion qui fut faite alors a été reconstituée *a posteriori*. Nespresso est une entreprise

---

1. SWOT pour *Strengths, Weaknesses, Opportunities, Threats* (forces, faiblesses, opportunités, menaces), analyse utilisée dans la réflexion stratégique.
2. *Business angel.*

d'autant plus intéressante qu'elle constitue un magnifique exemple d'approche entrepreneuriale au sein d'une multinationale (Nestlé). Elle a en effet remis en question un certain nombre de pratiques managériales traditionnelles de Nestlé, comme vous le découvrirez au fil de votre lecture. Nous remercions Nespresso pour son soutien et les informations apportées pour la rédaction de cette « étude de cas ».

Par ailleurs, ce n'est pas parce que le lancement de projets innovants est un sujet sérieux (et académique) qu'il faut renoncer à l'humour. Certains concepts sont donc illustrés par des « métaphores[1] », essentiellement des histoires drôles, qui ont parfois une dimension philosophique. Elles sont là pour apporter une composante récréative, mais surtout pour faciliter la mémorisation des concepts évoqués. Toute ressemblance avec des personnes ou des organismes existants est le résultat d'une pure coïncidence[2].

Il nous semble en effet que les personnes privées d'humour ont tendance à avoir plus de difficultés à sortir du cadre apparent des choses pour imaginer des solutions créatives. Un test du sens de l'humour sera peut-être un jour, s'il est scientifiquement validé, utilisé pour évaluer le potentiel d'innovation et la capacité à entreprendre...

Cet ouvrage est destiné à ceux qui veulent mettre toutes les chances de leur côté, ceux qui doutent de leur projet, ceux qui souhaitent préparer leur présentation (à leur chef ou à leurs investisseurs) ou encore ceux qui désirent compléter leur intuition par de la rigueur. Il est pertinent aussi bien pour les porteurs de projets indépendants (les entrepreneurs) que pour ceux qui innovent au sein de structures existantes (les intrapreneurs). Par souci de simplification, nous utiliserons dans cet ouvrage le terme *entrepreneur* dans les deux cas.

---

1. Les métaphores sont toutes parvenues à l'auteur, sans indication de propriété intellectuelle, par e-mail sur sa liste de distribution (*Supercohen Joke distribution list*), accessible gratuitement sur le site www.supercohen.com.
2. Comme de nombreuses histoires drôles, certaines métaphores contiennent un facteur de discrimination qui ne reflète nullement l'opinion de l'auteur. Celui-ci présente d'ores et déjà ses excuses à ceux qui pourraient se sentir offensés.

Certains sont en mesure de lancer un projet sans s'appuyer sur un tel modèle ou, comme c'est le cas dans un autre contexte, sur l'analyse SWOT. Ce livre ne leur est pas destiné ! À moins qu'ils ne veuillent s'assurer de n'avoir rien oublié…

Profil de Nespresso

La société Nestlé Nespresso SA est l'une des entités opérationnelles à forte croissance au sein du groupe Nestlé, premier groupe mondial de l'alimentation, des boissons, de la nutrition et du bien-être. Son siège est situé à Paudex en Suisse, et elle emploie actuellement plus de 1 400 personnes. Nestlé Nespresso SA a maintenu une croissance annuelle de plus de 25 % depuis son introduction sur le marché en 1988. Son chiffre d'affaires pour l'année 2005 a atteint 529 millions d'euros.

En 2006, les produits Nespresso étaient commercialisés dans plus de 35 pays, au travers de 19 filiales sur 4 continents et d'un réseau d'agents indépendants répartis dans plusieurs pays d'Europe, d'Asie, d'Afrique, des Caraïbes et du Moyen-Orient. La société gère également un réseau de 42 boutiques Nespresso, situées dans plus de 38 villes en Europe, en Amérique du Nord et en Asie.

Le système Nespresso se compose d'une machine de haute technologie et d'une capsule au design unique, contenant du café moulu prédosé. La gamme de machines (27 modèles), les capsules de café et le Club Nespresso constituent les trois piliers du système adopté par plus de 2 millions de consommateurs en 2006.

Nespresso Classic est destiné aux particuliers. En 1996, Nespresso a lancé le système Nespresso Business Solutions, conçu pour apporter une solution globale aux petites et moyennes entreprises, au secteur de l'hôtellerie et de la restauration haut de gamme, ainsi qu'à de nombreuses compagnies aériennes. En 2005, le système Nespresso Business Solutions (7 modèles de machines) était commercialisé dans plus de 35 pays auprès de 200 000 entreprises ; il représentait 15 % du volume des ventes de café prédosé de la société.

De plus amples informations sont disponibles sur les sites www.nespresso.com pour Nestlé Nespresso SA et www.nespressopro.com pour Nespresso Business Solutions.

BONUS SUR INTERNET

Le site www.IpOpModel.net offre un prolongement du livre sur le Web (cf. encart en début d'ouvrage). Accessible à tous les possesseurs de l'ouvrage, il met à disposition de nouvelles métaphores, d'autres exemples, ainsi qu'un blog consacré au processus de l'innovation. Nous avons souhaité l'intégrer dans une démarche dynamique, aussi tous nos lecteurs peuvent-ils y apporter leur contribution[1] (exemples, citations, références, etc.).

---
1. Les suggestions sont à envoyer à rc@ipopmodel.net, en français ou en anglais.

Chapitre 1

Au commencement était l'opportunité…

Sans opportunité, il n'y a pas d'entrepreneur

Les points abordés dans ce chapitre

- *L'identification des besoins*
- *La solution innovante*
- *Besoin + solution = opportunité*

De la créativité d'une blonde pour saisir les opportunités

Un avocat est assis à côté d'une jeune femme blonde sur un vol long-courrier de Los Angeles à New York. Il se penche vers elle et lui demande si elle veut faire un jeu amusant. Voulant se reposer, elle décline poliment l'invitation et se tourne vers la fenêtre pour dormir.

L'avocat insiste, en expliquant que le jeu est vraiment facile et très distrayant. Il lui explique : « Je vous pose une question. Si vous ne connaissez pas la réponse, vous me donnez cinq dollars et vice versa. » La jeune femme refuse une nouvelle fois poliment et essaye de trouver le sommeil.

Quelque peu agité, l'avocat – pensant qu'il gagnera facilement, étant en face d'une blonde – insiste : « D'accord, si vous ne connaissez pas la réponse, vous me donnez cinq dollars, et si c'est moi qui ne la connais pas, je vous en donne cinquante ! » L'offre intéresse la jeune femme qui, comprenant qu'elle n'aura pas la paix tant qu'elle refusera, se résout à jouer le jeu.

L'avocat pose la première question : « Quelle est la distance entre la Terre et la Lune ? » Son interlocutrice ne dit pas un mot, prend un billet de cinq dollars et le lui tend.

C'est maintenant à son tour. Elle demande à l'avocat : « Qu'est-ce qui monte sur une colline sur trois jambes, et en descend sur quatre ? » L'homme la regarde d'un air embarrassé. Il sort son ordinateur portable et effectue des recherches dans toutes ses références. Il se connecte sur Internet, navigue sur le site de la bibliothèque du Congrès américain, envoie des e-mails à tous ses collègues et amis, en vain...

Au bout d'une heure, il réveille la jeune femme et lui remet cinquante dollars. Elle prend l'argent et se retourne pour se rendormir. Un peu vexé, l'avocat lui demande : « Alors, quelle était la réponse ? » Sans un mot, la jeune femme sort cinq dollars de son porte-monnaie, les lui donne et se rendort.

Personne ne devient entrepreneur sur un coup de tête et sans avoir une opportunité à saisir. L'entrepreneur est typiquement une personne capable d'identifier une opportunité, d'évaluer sa faisabilité, de trouver les ressources nécessaires et, en conclusion, de mettre en œuvre un plan d'action lui permettant de la saisir.

Le modèle présenté dans cet ouvrage a pour nom l'*innovation par les opportunités* (IpOp). Son utilisation peut être associée à un mode de gestion encourageant le fait de saisir les opportunités, le *management par les opportunités* (MpOp).

L'identification des opportunités est généralement la partie la plus aisée. En effet, nombreux sont ceux qui ont des « idées ». La vraie difficulté consiste à transformer chaque idée en un plan d'action réaliste, qui puisse être mis en œuvre avec succès.

L'identification des besoins

Différentes sortes de besoins

Nous entendons par *besoin* n'importe quel besoin non encore satisfait ou qui pourrait l'être mieux (ou encore à meilleur compte). Il s'agit donc, dans ce contexte, d'un concept très large.

Le modèle de Kano[1] pour la satisfaction des clients définit trois niveaux :

• **les besoins de base,** qui sont souvent considérés comme acquis. Ne pas les satisfaire aboutit à un mécontentement ;

• **les besoins de performance,** que le client a identifiés (il peut généralement les exprimer) ;

---

1. Kano N., Seraku N., Takahashi F., Tsuji S, *"Attractive Quality and Must-Be Quality"*, in Hromi J. D., *The Best on Quality*, vol 7, ASQC Quality Press.

- les besoins « excitants », dont les clients ne sont pas conscients, souvent parce qu'ils vont au-delà des besoins de performance. Leur identification conduit généralement à la création de produits qui changent les règles du jeu (ce fut le cas des baladeurs).

Les besoins non exprimés créent souvent les plus grandes opportunités. Certains besoins sont explicites (nous avons besoin d'ordinateurs plus rapides). D'autres sont ignorés jusqu'à ce que quelqu'un démontre qu'ils étaient latents (logiciels de messagerie instantanée ou *chats*). Ils sont alors plus difficiles à détecter, même si l'interprétation de signaux faibles peut parfois y conduire. Enfin, certains besoins sont tus, car ils ne sont pas politiquement corrects (les sites pornographiques représentent plus d'un cinquième du trafic sur Internet, alors que la plupart des utilisateurs déclarent ne pas en consulter).

L'observation sur le terrain

L'identification des besoins requiert un très bon sens de l'observation. Il ne suffit pas de demander aux gens quels sont leurs besoins, il faut observer la manière dont ils se comportent. Plus des deux tiers des Français se déclarent prêts à acheter des médicaments génériques, alors qu'ils ne sont qu'un tiers à le faire réellement. Cela montre que les études de marché traditionnelles peuvent donner des résultats trompeurs. Pour mieux comprendre nos clients, nous devons prendre le temps de les observer dans leur environnement, c'est-à-dire en train d'utiliser le produit ou le service. Ainsi, nous pouvons être amenés à découvrir des besoins que personne encore n'avait identifiés.

L'anthropologie commerciale est une approche intéressante et efficace pour mieux comprendre ses clients, le marché. Les anthropologues ont en effet l'avantage de travailler sur le terrain. Prenons la réduction du délai de livraison des colis : les anthropologues ne se limiteront pas à interviewer le vice-directeur de la logistique ou les collaborateurs – même sur le terrain –, ils accompagneront les colis, de manière à constater *de visu* les temps morts.

Observer la manière dont les clients utilisent les produits ou les services des concurrents peut contribuer à découvrir des besoins non satisfaits. Le Suisse Domenic Steiner a ainsi observé que les pannes de machines à café professionnelles étaient un réel problème pour les exploitants de restaurants, qui devaient patienter le temps que la machine revienne du service après-vente. Il a donc conçu une machine constituée d'éléments modulaires. Avec ce modèle, nul besoin, en cas de panne, de le renvoyer en entier : il suffit de faire un échange standard sur place du module défectueux. Son entreprise, Thermoplan, est maintenant le fournisseur exclusif de Starbucks !

Les segments du marché les plus rentables et les plus réceptifs doivent être identifiés. Ce n'est pas un hasard si McDonald's a longtemps concentré ses campagnes promotionnelles sur les enfants et non sur les adultes. Ayant compris que même si les parents ont le pouvoir d'achat, ce sont les enfants qui choisissent le restaurant, McDonald's s'est adressé aux prescripteurs (les enfants) au lieu de courtiser les acheteurs. Exploiter ce filon reposait sur une bonne compréhension de la psychologie des prescripteurs, il suffisait ensuite de développer l'intimité-client avec les enfants.

Le niveau d'intimité-client souhaité est atteint lorsque les clients ont le sentiment d'appartenir à la même « tribu » que le vendeur. Ils oublient alors qu'ils ont affaire à un fournisseur, car ce dernier parle la même langue qu'eux et partage leurs préoccupations. Le vendeur est ainsi mieux à même de comprendre leurs besoins, ce qui le conduit à identifier des opportunités. L'industrie des produits de beauté connaît si bien ses clients qu'elle a compris qu'ils achetaient de l'espoir et non des crèmes, ce qui a eu un impact important sur la manière de conduire ses affaires (stratégies d'emballage et de vente à un prix élevé ; l'espoir se vend plus cher que la crème au kilo).

Les frustrations expriment souvent l'existence d'un besoin à satisfaire. Les personnes frustrées représentent donc une bonne source d'inspiration ! L'accès téléphonique gratuit au service après-vente encourage les utilisateurs à exprimer leur mécontentement. Leurs besoins pourront ainsi être mieux identifiés afin, si nécessaire, d'apporter les modifications qui s'imposent. Morale : il est ainsi bon de fréquenter les frustrés !

Attention aux « faux » besoins

S'appliquer à satisfaire un besoin qui ne concerne qu'un petit nombre de personnes peut coûter cher. La société Eli Lilly l'a vérifié à ses dépens. Le corps médical réclamait une solution pour les diabétiques allergiques à l'insuline d'origine animale. L'entreprise a alors dépensé près d'un milliard de dollars pour développer une version synthétique d'insuline[1] ne déclenchant pas de réaction allergique. Or, cette innovation ne s'est pas traduite par un succès commercial, car le nombre de personnes ayant réellement besoin de ce produit est très faible. Parallèlement, une autre entreprise (Novo Nordisk) a pris conscience que le procédé classique d'injection de l'insuline (préparation de la seringue et mesure de la dose) n'était pas assez convivial. Elle a donc mis sur le marché en 1985 le NovoPen®, une sorte de stylo contenant une dose d'insuline préconditionnée, très simple à utiliser, et a fait fortune[2].

Une compréhension incomplète des besoins peut aussi conduire à l'échec. Un bon exemple illustrant l'impact d'une mauvaise analyse est celui d'Iridium, qui proposait une offre de téléphonie mobile utilisant un réseau de satellites au lieu des cellules du GSM. Si les promoteurs d'Iridium avaient réellement évalué les besoins, ils auraient immédiatement réalisé que leur cause était sans espoir. Le besoin n'était pas suffisamment important pour justifier le coût du service ou l'infrastructure requise : les solutions de rechange existantes (itinérance GSM ou *roaming*) étaient largement suffisantes pour satisfaire la plupart des

---

1. Humulin.
2. Christensen Clayton M., *The Innovator's Dilemma,* Harvard Business School Press, 1997.

besoins de mobilité, et ce, à un coût nettement moindre. Cette mauvaise compréhension de la technologie d'itinérance et des clients a coûté très cher aux actionnaires et aux créanciers d'Iridium.

La solution innovante

« L'innovation consiste à créer et introduire de manière gratifiante de nouvelles technologies, de nouveaux produits, de nouveaux services, de nouveaux modes de commercialisation, de nouveaux systèmes et de nouveaux processus ou manières d'interagir[1] » : voilà la définition que nous retiendrons. La gratification évoquée peut être le profit, la satisfaction personnelle ou n'importe quel autre résultat bénéfique pour l'organisation ou l'individu (la « valeur ajoutée » d'une innovation n'est pas forcément monétaire).

Pour mettre le doigt sur une solution innovante, il faut faire preuve de créativité. Il existe de nombreux outils pour stimuler la créativité[2]. On peut avoir recours à des sessions de brainstorming, en solitaire ou en groupe, pour trouver LA solution.

Le facteur « innovation » est indispensable pour faire mieux que ses concurrents. Si certains occupent déjà le terrain, ils sont avantagés simplement par leur expérience. Il faut donc que l'innovation proposée ait suffisamment de substance pour compenser une position moins favorable sur le plan de l'expérience. Parfois, il suffit d'identifier un besoin que d'autres n'ont pas encore découvert. Il arrive même que des solutions existantes suffisent à satisfaire ce besoin. Ikea a ainsi appliqué au domaine de l'ameublement l'assemblage par le client (*do it yourself*).

---

1. Cette définition s'inspire de celle de G. Pinchot. Le mot *nouveau* doit être compris comme « non disponible sur le marché ou l'environnement considéré ».
2. Les sites www.cul.co.uk et www.destination-innovation.com proposent de bons outils.

L'application d'un concept existant à un autre secteur peut créer des opportunités intéressantes. Avoir recours à un réseau P2P (*peer to peer*) pour des réservations d'hôtel ou des locations de voiture permettrait d'éviter de passer par un centre de réservation. L'utilisation d'Internet a déjà radicalement changé l'industrie du voyage, en augmentant la transparence de l'offre et la comparaison. Le P2P appliqué à la téléphonie (avec le logiciel Skype®) va manifestement modifier le paysage des opérateurs téléphoniques.

Il n'est pas nécessaire que le concept soit nouveau, il doit simplement l'être pour le marché concerné. Notre définition de l'innovation inclut donc les solutions introduites sur un marché où elles n'étaient pas encore disponibles. Même si cette définition élargie offense les puristes, elle a l'avantage d'être pragmatique et créatrice de valeur. Puisque notre objectif est de dégager des avantages concurrentiels pour une entité spécifique, qui se trouve évidemment dans un environnement donné, nous ne nous intéressons ici qu'à l'innovation contextuelle.

Nombreuses sont les inventions qui attendent d'être exploitées. Lorsqu'il est question de propriété intellectuelle, plusieurs modèles[1] de « transfert d'innovation » sont disponibles : la licence, la franchise, les partenariats, etc. Le transfert d'innovation représente une très bonne occasion de stimuler la croissance, de créer des emplois et d'améliorer certaines situations. Trouver l'utilisation appropriée d'une invention existante peut créer des opportunités intéressantes. L'utilisation d'aspirine à petite dose pour prévenir le risque cardiaque en est une illustration.

Besoin + solution = opportunité

Les changements structurels créent souvent des opportunités. Dans les situations stables ou quand tout va bien, il est plus difficile de trouver des opportunités que durant les phases de transition ou d'insta-

---

1. Voir chapitre 7.

bilité. Ce n'est pas un hasard si, en chinois, les mots *opportunité* et *crise* sont étroitement liés. Les tournants et les crises sont des terreaux fertiles pour les amateurs d'opportunités.

Malheureusement, la « myopie des opportunités » est une maladie qui affecte de nombreuses organisations. Le plus souvent, leurs employés ont été conditionnés à faire les choses d'une certaine manière. Ils sont donc vaccinés contre toute idée susceptible de modifier le *statu quo*. Étrangement, les succès du passé conduisent souvent à ne plus voir les opportunités. Nous avons en effet tendance à croire que, puisque les recettes traditionnelles ont fait leurs preuves, il ne fait aucun doute qu'elles vont continuer à fonctionner. Or les choses ne sont pas aussi simples, car les chances de succès sont fonction de la capacité à gérer les circonstances futures, souvent différentes de celles du passé.

Tout remettre en question, y compris les réussites passées, contribue à identifier des opportunités. Une interrogation de tous les instants, tendant à s'assurer qu'on ne peut faire les choses autrement, se traduit par un processus d'amélioration permanent.

Est-ce l'invention d'un produit (une solution) qui conduit l'inventeur à lui trouver un marché (un besoin) ? Lorsqu'un scientifique fait une découverte dans son laboratoire, il cherche ensuite ce qu'il peut en faire. Cela revient à trouver à son invention une application commercialisable. On peut qualifier cette démarche de *push demand*, pour laquelle un marché doit être développé.

Ou est-ce le besoin qui suscite la recherche d'une solution ? Les situations inverses de *pull demand* existent lorsqu'une solution a été trouvée en vue de satisfaire un besoin préalablement identifié. L'avantage de cette démarche est qu'elle s'appuie sur un marché qui existe. De ce fait, elle est à privilégier. Un bon exemple de *pull demand* est illustré par les salades prélavées vendues dans les supermarchés. Lorsqu'un fermier français a compris qu'il existait une réelle demande pour des salades « propres » (un besoin), il a confié un mandat de recherche et développement à l'INSERN, qui s'est employé à trouver l'emballage et le mélange d'oxygène et d'azote prolongeant la durée de conservation de la salade prélavée. Le marché a ensuite explosé…

L'opportunité est définie par le couple besoin + solution. Il ne suffit pas d'identifier un besoin, il faut également proposer une manière de le satisfaire.

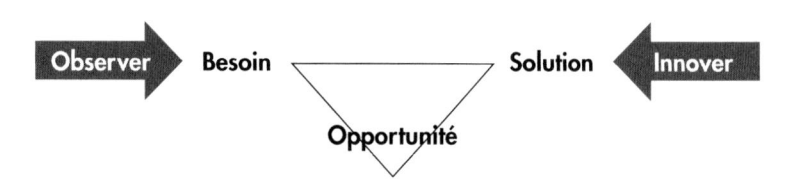

Figure 1 : *L'opportunité naît dès qu'une nouvelle solution existe pour satisfaire un besoin non suffisamment satisfait*

Le besoin identifié par Nespresso Classic

La préparation d'un bon *expresso* n'est pas aussi simple qu'il y paraît. Sa réussite dépend de plusieurs paramètres, dont la sélection des grains de café, la torréfaction, la fraîcheur du café, les modalités de la mouture, le tassement du café moulu, la quantité et la température de l'eau, la pression de l'eau et de l'air, le temps d'écoulement de l'eau à travers le café, etc.

Il va de soi que, dans ces conditions, faire un bon café n'est pas à la portée du commun des mortels. Même si des machines à café existent, elles requièrent des réglages qui rendent les résultats inégaux. Les machines traditionnelles exigent par ailleurs des manipulations généralement perçues comme contraignantes, ou tout au moins qui prennent du temps : moudre le café avant de préparer la boisson, doser et tasser le café, activer la machine, jeter le marc, etc.

En imaginant une solution consistant à simplifier le processus tout en assurant une qualité constante pour un café haut de gamme, les chercheurs de Nestlé ont identifié une opportunité au cours des années soixante-dix. Ils se sont inspirés du concept original de l'inventeur de l'*expresso*, Luiggi Bezzera.

La solution trouvée fut une machine à *expresso* utilisant des capsules de café moulu prédosé, qui protègent les neuf cents arômes du café des effets néfastes de la lumière, de l'air et de l'humidité. Ce système produit invariablement un *expresso* de grande qualité, résultant du mariage de l'arôme, du corps, du goût et de la mousse. C'est ainsi qu'est né le café prédosé de luxe de qualité constante.

Mis à part la dimension technologique de la solution, Nespresso exploite, comme Starbucks, le fait de personnaliser la consommation de café. Du simple café standard servi indistinctement à tous les convives (« café ou thé ? »), on passe à une approche bien plus subtile (« quel café souhaitez-vous ? »). Le consommateur choisit son café comme il choisirait une truffe au chocolat dans un assortiment provenant d'une confiserie de luxe.

Chapitre 2

Il n'y a pas que la technologie !

Les innovations non technologiques sont des fruits mûrs à portée de main, attendant d'être cueillis

---

Les points abordés dans ce chapitre

- *Ne pas confondre invention et innovation*
- *La protection de l'innovation*
- *Démocratiser l'innovation*
- *Place à l'imagination !*

De l'intérêt de l'innovation non technologique

Le week-end dernier, tard dans la nuit, je montrais fièrement mon domicile à un couple d'amis. Je les avais précédés sur mon balcon où se trouvait un grand gong en laiton.

« Qu'est-ce que c'est ? Un gong ? me demanda l'un de mes amis.

– Non, ce n'est pas un gong. C'est une horloge parlante, répondis-je totalement ivre.

– Une horloge parlante ! Tu es sérieux ?

– Oui.

– Comment fonctionne-t-elle ?

– Regardez », marmonnai-je.

Je pris un marteau, frappai le gong dans un fracas assourdissant et reculai. Nous restâmes un moment à nous regarder. Soudain, quelqu'un de l'autre côté de l'immeuble cria : « Hé abruti ! Il est trois heures dix du matin ! »

Le concept d'innovation est généralement associé à la technologie, et même à la haute technologie. Ce lien spontané s'explique par le fait que cette innovation-là attire les médias et focalise l'attention du public. Par ailleurs, il est vrai qu'il est plus facile de protéger une innovation technologique avec des brevets, et que cette protection représente un avantage concurrentiel. Ce n'est cependant pas une raison suffisante pour renoncer à l'innovation non technologique…

Ne pas confondre invention et innovation

Invention ne rime pas obligatoirement avec innovation. Comme nous l'avons déjà mentionné, il n'y a aucune innovation sans valeur ajoutée. Ainsi, tant qu'une invention n'a pas trouvé de marché, il est impossible de parler d'innovation.

L'innovation non technologique peut faire des merveilles. D'innombrables innovations ne reposent ni sur une invention, ni sur une technologie, comme en témoignent les exemples des pages 22 à 26 et la liste n'est pas exhaustive. Comme dans toute activité, l'informatique et les technologies de la communication y jouent un rôle significatif sans être toutefois centrales ; elles améliorent juste l'efficacité et réduisent les coûts d'exploitation. Nous considérons donc, *a priori*, que cette exploitation de l'informatique n'est pas technologique.

La protection de l'innovation

Les innovations non technologiques peuvent rarement être protégées par des brevets. Il est en effet assez facile de les copier. Prenons l'exemple d'Amazon.com : n'importe qui pourrait copier ce site web en quelques semaines. Cependant, comme la chaîne de valeur[1] d'Amazon.com

---

1. Décomposition des différentes étapes créatrices de valeur depuis l'élaboration d'un produit ou d'une activité, de la matière première au service après-vente. Ce concept a été introduit par Michael Porter en 1985 (Porter M. E, *Competitive Advantage: Creating and Sustaining Superior Performance*, New York, NY The Free Press, 1998).

Le secteur	L'idée commerciale		Le besoin primaire	L'innovation non technologique initiale	Commentaires
Informatique	Michael Dell a vendu des PC à des concurrentiels bien avant l'utilisation d'Internet comme canal de vente		Des PC configurés sur mesure à un prix avantageux	Vente directe d'ordinateurs sans passer par un réseau de détaillants	Le recours à la technologie a, par la suite, permis à Dell d'acquérir d'autres avantages concurrentiels
Finance	Émission de cartes de crédit (dont la gestion est centralisée) par des banques (VISA et Mastercard)		Pour les clients des banques, pouvoir disposer de ses avoirs sans utiliser de chèques	Créer un consortium de banques pour atteindre la taille critique	La force de distribution de ces institutions représente un avantage concurrentiel significatif pour obtenir rapidement des parts de marché
		Lettres de crédit	Assurer le paiement des fournisseurs en limitant les risques des acheteurs	La banque de l'acheteur garantit le paiement si certaines conditions sont remplies	La clarification des « règles et usances » a considérablement facilité le déploiement des lettres de crédit à l'échelle internationale
		Titrisation[1] des actifs	Des investissements alternatifs	Répartir un risque standardisé sur un grand nombre d'intervenants	

1. Selon le *Petit Larousse*, « opération par laquelle les établissements bancaires cèdent leurs créances à des organismes dits fonds communs de créances, qui émettent des titres négociables sur le marché ».

Le secteur	L'idée commerciale	Le besoin primaire	L'innovation non technologique initiale	Commentaires
Horlogerie	Design des montres Swatch®	Mode et fun	Traiter la montre comme un accessoire de mode	Le faible coût de production a clairement contribué au succès, mais celui-ci est avant tout dû au marketing
Tourisme	Programmes de fidélisation des compagnies aériennes	Voyages gratuits ou autres avantages	Accumulation de points proportionnellement aux voyages effectués	L'exploitation des avions se traduit essentiellement par des coûts fixes, ce qui fait que l'échange de places libres contre des points ne coûte pas grand-chose aux compagnies aériennes
Tourisme	Time sharing	Des vacances à bon compte	Proposer un bail à long terme pour des périodes limitées au lieu de vendre un droit permanent d'utilisation	« Vendre » des semaines permet de proposer un prix apparemment bas, alors que son annualisation correspond à un montant largement supérieur à celui du marché

Le secteur	L'idée commerciale	Le besoin primaire	L'innovation non technologique initiale	Commentaires
Éducation	Écoles d'ingénieurs qui vendent des services de recherche et développement pour financer la recherche au sein de leur établissement	Pour le secteur privé : besoin de sous-traiter certains travaux de recherche et développement	Transformer certains départements des écoles d'ingénieurs en centres de profit	L'Institut Weizman en Israël génère une partie importante de son budget grâce à des partenariats avec le secteur privé
Alimentation	Eaux minérales vendues dans des bouteilles dessinées par des designers	Goût pour les produits exclusifs et haut de gamme	De belles bouteilles qui attirent et séduisent les consommateurs	
Publicité et sport	Sponsoring des athlètes ou des événements à des fins promotionnelles	Couverture médiatique pour augmenter la notoriété	Rémunérer les athlètes pour utiliser et mettre en évidence les marques	
Automobile	Monospaces	Voitures familiales de six ou sept places	Voitures de tourisme avec un plus grand habitacle	
Aviation	Compagnies à bas prix (Southwest Airlines, Easyjet, etc.)	Transport bon marché sans prestations complémentaires	Pricing dynamique et efficacité opérationnelle sans l'intermédiaire d'agences de voyages	Leur conception ne requiert pas de technologie spécifique

Le secteur	L'idée commerciale	Le besoin primaire	L'innovation non technologique initiale	Commentaires
Messagerie	DHL, Chronopost, etc.	Livraison rapide de documents et de petits paquets	Supprimer les temps morts en maîtrisant le processus de transport	
Personnel temporaire	Manpower	Missions à court terme	Intermédiation entre employeurs et travailleurs facilitée par la prise en charge des démarches administratives	
Mode	Zara	Évolution rapide de la mode en matière de vêtements	Ramener à trente jours la durée du cycle de production entre l'idée et la mise en vente des vêtements dans les magasins	
Art	Christie's, Sotheby's, etc.	Faciliter la vente des œuvres d'art avec un marché transparent	Organiser des ventes aux enchères en y associant des prestations complémentaires	
Divertissement	Loft Story, Star Academy	Voyeurisme	Téléréalité	

Le secteur	L'idée commerciale		Le besoin primaire	L'innovation non technologique initiale	Commentaires
Machines	Soutien et garantie étendus		Fiabilité et réparation rapide	Proposer un contrat de service payant qui assure un traitement prioritaire aux abonnés	
Sport	Beach-volley		Sport de plage	Adapter le volley-ball à un environnement de plage	
Médias	CNN, CNBC, Euronews		Information instantanée	Chaînes de télévision spécialisées proposant de l'information en continu	
Vente au détail	Vente par correspondance		Faire ses achats à toute heure sans se déplacer jusqu'au magasin	Imprimer un catalogue et le distribuer gratuitement à un grand nombre de consommateurs	
	Ebay		Intermédiaire pour la vente et l'achat de marchandises d'occasion	Utiliser Internet pour mettre en contact acheteurs et vendeurs qui ne se connaissent pas	Le recours à Internet ne correspond pas à une innovation technologique
Boissons		Alcopops	Boissons légèrement alcoolisées	Boissons gazeuses incluant un peu d'alcool	
		Starbucks	Café de meilleure qualité s'adressant à une clientèle plus aisée	Café haut de gamme servi dans des espaces accueillants	

est non seulement constituée du site web, mais aussi de la marque, de la logistique, du grand choix de livres, de partenariats, d'une présence forte sur le marché, etc., il est très peu probable que « n'importe qui » ait une chance de parvenir au même résultat.

Une chaîne de valeur complète ne peut être copiée aisément : la partie cachée, qui orchestre les différents composants de la chaîne est la plus difficile à saisir et à imiter. Pour une meilleure protection, il est donc recommandé de construire une chaîne de valeur aussi complexe que possible. L'exemple d'Amazon l'illustre très bien : son site Internet n'est que le sommet visible de l'iceberg.

Même ce qui n'est pas brevetable peut présenter un intérêt significatif. Si les brevets représentent une forme de protection non négligeable, cette dernière n'est toutefois pas indispensable à la réussite. Bon nombre des exemples ci-dessus ne sont même pas protégés par des brevets et ne comptent, pour leur protection, que sur les mérites de leur chaîne de valeur, et pourtant ce sont des réussites éclatantes. Il existe fort heureusement d'autres formes de protection[1].

Démocratiser l'innovation

L'innovation non technologique est tellement accessible que trop d'organismes ont tendance à la négliger, laissant ainsi passer des opportunités. Dans le tableau précédent, les technologies nécessaires aux innovations présentées étaient déjà disponibles. Nous le voyons avec ces exemples, il n'est pas indispensable d'avoir fait Polytechnique pour innover avec succès. L'innovation n'est limitée que par l'imagination des individus concernés. Plus les personnes sont encouragées à innover, plus les idées qui émergent sont nombreuses.

N'importe qui peut innover. L'innovation n'exige qu'un peu d'imagination et de créativité. Prenons le cas des valises : elles existent depuis

---

1. Voir, dans le chapitre 12, la section *Les barrières à l'entrée*.

des siècles ; quant aux roues, elles sont là depuis des millénaires. Et pourtant, il a fallu attendre 1972 pour que quelqu'un songe à installer des roues sur des valises afin de soulager le dos des malheureux voyageurs. N'importe qui aurait pu (et dû !) y penser. Une idée aussi simple que celle-ci montre que les opportunités d'affaires sont à la portée de quiconque…

La pensée latérale[1] peut également aider à innover. La capacité d'établir des passerelles entre des domaines apparemment sans rapport peut conduire à des opportunités. Ainsi, l'« association » du sport et de la correction laser de la vision a ouvert un nouveau marché pour cette technologie. En effet, quelqu'un a un jour pensé qu'en améliorant la vision des athlètes, ces derniers pourraient augmenter leurs performances. Ainsi, un skieur doté d'une vision supérieure pourrait bénéficier d'un avantage concurrentiel grâce à une meilleure lecture du terrain (bosses, couleurs, etc.). Le golfeur Tiger Woods a su tirer parti de ce perfectionnement chirurgical. Cette nouvelle application a créé une réelle opportunité d'affaires pour les ophtalmologues concernés. Or faire de tels liens ne requiert aucune compétence technique, cela demande juste d'activer ses neurones.

Place à l'imagination !

L'innovation peut prendre de multiples formes. En voici quelques exemples :

- nouvel emballage (le conditionnement des flacons de parfum est un facteur critique de succès) ;
- nouveau service (service de concierge ou valet) ;
- nouvelle base de données fournissant de l'information (la société OAG gagnait davantage d'argent en publiant les horaires des compagnies aériennes que les compagnies aériennes elles-mêmes) ;

---

1. Voir De Bono E., *The Use of Lateral Thinking*, Intl Center for Creative Thinking, 1967.

- nouveau canal de distribution (le marketing pyramidal, comme Tupperware) ;
- nouvelle image (B & O a changé le positionnement de sa marque en mettant l'accent sur le design de ses produits pour l'électronique de loisir) ;
- nouvelle modalité de partenariat avec des fournisseurs (Nespresso sous-traite à des marques connues la vente et la distribution de machines à café conçues pour ses capsules) ;
- nouvelle approche marketing (abonnements de téléphonie mobile destinés aux enfants ou aux adolescents) ;
- nouvelle forme de redistribution des bénéfices dans la chaîne de valeur (commerce équitable avec Max Havelaar) ;
- nouvelle manière de s'occuper des clients (traitement VIP des grands voyageurs) ;
- nouveau concept de vente (vente de diamants par Internet à travers le site d'enchères Ebay) ;
- nouvel accès aux prospects (marketing viral de Hotmail) ;
- nouveau processus (enregistrement en libre-service dans les aéroports) ;
- nouvelle manière d'attirer les clients (droit de retour illimité des achats effectués) ;
- nouvelle manière de réduire les coûts (délocalisation en Inde des centres d'appel) ;
- nouvelle organisation dans l'entreprise (remplacement d'une structure d'organisation basée sur les produits par une structure dépendant des zones géographiques) ;
- nouveaux tarifs (voyages de dernière minute) ;
- nouvelle manière d'acquérir de nouveaux clients (essayer avant d'acheter) ;
- nouvelle manière de financer des produits ou des services (logiciels gratuits, mais imposant des messages publicitaires) ;
- nouvelle manière de diffuser de la musique (réseaux P2P comme Gnutela et Napster) ;

- nouvelle manière de fidéliser les clients (architecture fermée de Microsoft Windows®) ;
- nouvelle manière d'améliorer le confort des usagers (renouvellement du passeport par correspondance) ;
- nouvelle fonction pour un produit existant (téléphone portable avec lecteur MP3) ;
- etc.

Quelques innovations de Nespresso Classic

Le Club Nespresso

Un des éléments qui ont largement contribué au succès de Nespresso est la vente directe des capsules et surtout l'affiliation des propriétaires de machines à un club. L'idée du « club de buveurs d'*expresso* », le Club Nespresso, est totalement novatrice (et, bien sûr, non technologique). En ayant la maîtrise complète de la relation-client, Nespresso peut non seulement offrir à tout moment un service de premier ordre, mais aussi développer l'intimité-client.

Toute personne achetant une machine Nespresso devient automatiquement membre du Club Nespresso. En 2006, celui-ci comptait plus de 2 millions de membres actifs.

Les capsules de café et les accessoires Nespresso sont ainsi disponibles à travers ce club dans le monde entier. Ouvert 24 heures sur 24 et 7 jours sur 7, le Club Nespresso est à l'écoute permanente des commentaires et des suggestions de ses membres. Il offre un service personnalisé, sert de centre d'expertise pour les variétés de café et propose des conseils sur l'utilisation des machines et leur entretien. Il établit ainsi un lien direct avec les consommateurs, tout en recueillant sur eux de précieuses informations. Le Club Nespresso assure sous 48 heures la livraison du café et des accessoires commandés par courrier, par Internet ou encore par téléphone ou télécopie (numéros gratuits). Facilité et confort sont les maîtres mots.

Un producteur unique

L'idée de confier aux fabricants d'électroménager le soin de vendre les machines Nespresso à travers leur réseau et sous leur propre marque est aussi une innovation non-technologique qui a permis à l'entreprise de pénétrer très rapidement le marché. Bien que les machines soient vendues sous la marque de neuf spécialistes de l'électroménager, elles sont conçues par les ingénieurs de Nespresso et fabriquées par un seul producteur dans le monde.

Le fait que Nespresso gère la machine et les consommables correspond aussi à une approche innovante (non technologique !), de même que le fait que le modèle économique s'appuie sur des partenariats (avec les fabricants distribuant la marque, les « partenaires-machine »).

Un produit de luxe

Le positionnement haut de gamme, qui s'apparente à la vente de bijoux ou de montres est une autre innovation non technologique. Rares sont les produits alimentaires de consommation courante, pour ne pas dire quotidienne, ayant une promotion digne de produits de luxe…

La première boutique Nespresso, créée en 2000 à Paris, a permis de démontrer que la vente directe était non seulement possible, mais surtout rentable. Certaines boutiques traitent jusqu'à 1 000 tickets par jour, et des clients n'hésitent pas à faire la queue pendant une quinzaine de minutes, lors des heures de pointe, pour acheter un produit qu'ils pourraient commander par téléphone… La mise en place d'une chaîne de boutiques aux allures de bijouteries pour vendre un produit industriel de consommation plus que courante est une autre innovation non technologique, qu'il fallait oser !

Le design résolument avant-gardiste soutient ce positionnement haut de gamme. Dès 2001, l'introduction de « rondeurs » dans le look des machines à café a marqué un changement fondamental des codes : jusqu'alors, les machines avaient plutôt des formes carrées. Autre innovation, le réservoir est devenu apparent.

Il est vrai que l'arrivée de Nespresso dans les rayons de l'électroménager a créé une véritable animation. La mise en scène des machines sur le lieu de vente (*shop in shop*) est encore une autre innovation (non technologique).

Une technologie indispensable

Ces innovations non technologiques – et il y en a d'autres – complètent en réalité une série d'innovations technologiques, telles que :

- l'utilisation de capsules prédosées en aluminium assurant une durée de stockage de 12 mois (alors que le goût du café moulu est affecté quelques heures à peine après exposition à l'air) ;
- l'utilisation de l'azote pour éviter tout contact avec l'oxygène de l'air qui oxyde très rapidement le café ;
- l'introduction, en 2001, de l'éjecteur automatique de capsules, qui correspond à une rupture fondamentale du geste symbolique associé à l'*expresso* (il n'est plus nécessaire de visser le porte-capsule comme sur les machines traditionnelles) ;
- la maîtrise absolue de la température de l'eau et de la pression en équipant les machines d'un « thermobloc » (un système de haute précision contrôlé par un thermostat qui régule la température de l'eau). Cet élément assure l'arrivée de l'eau à la température idéale, garantissant le goût de l'*expresso*, la formation de la mousse, etc.

D'autres fabricants se sont lancés dans la production de café prédosé, un marché reconnu comme très lucratif. Se concentrant sur l'aspect purement pratique et sans innovations non technologiques, ils ont bien du mal à ébranler la domination de Nespresso, qui exploite tous les registres de l'innovation pour maintenir son incontestable leadership.

Chapitre 3

Dans la tête des décideurs

La connaissance des critères de sélection des décideurs représente la moitié du chemin vers le Graal des ressources

---

Les points abordés dans ce chapitre

- *Le profil des décideurs*
- *L'arbre de décision pour sélectionner les projets*

Des critères d'analyse

Dans une maison de repos en Floride, une petite dame s'aperçoit de la présence d'un nouveau venu à la table de la salle à manger. Elle s'approche et lui demande :

« Êtes-vous nouveau ici ?

– Euh, oui, oui, je le suis.
– Depuis combien de temps êtes-vous ici ?
– Et bien, euh, depuis environ deux semaines, oui, depuis deux semaines, je pense.
– D'où venez-vous ? »

L'homme hésite, puis répond : « Et bien, vous savez, je viens de... eh bien, la grande maison. »

Confuse, la dame insiste :

« Qu'est-ce que c'est "la grande maison" ?

– Et bien, dit-il, c'est cette grande bâtisse là-haut, sur la colline, vous savez... la prison.
– Vous avez fait quelque chose de mal alors ? lui demande-t-elle.
– Oui, j'ai assassiné mon épouse, puis je l'ai coupée en tout petits morceaux que j'ai mis au congélateur », répond-il.

La dame dit alors gaiement : « Oooh, alors vous êtes célibataire ? »

Le profil des décideurs

Les décideurs sont les personnes auxquelles nous nous adressons pour faire avancer un projet. Ce sont souvent les investisseurs, mais aussi parfois le conseil d'administration, les cadres supérieurs, les responsables du développement, le comité de sélection des projets, etc. Il peut s'agir également de donateurs dans le domaine caritatif ou encore de politiciens dans le secteur public. La plupart des projets ont besoin du soutien d'un ou plusieurs décideurs, qui représentent une sorte de « passage obligé », dans la mesure où ils ont généralement le pouvoir d'allouer les ressources ou l'autorisation requises. Leur « bénédiction » est un prérequis pour la suite des festivités.

En comprenant la manière dont les décideurs évaluent l'intérêt d'un projet, il est possible d'adapter sa présentation à leur mode de pensée. Nous distinguons fondamentalement deux catégories de décideurs :

- les intuitifs, qui sentent ce qui est « bon » ou « moins bon » ;
- les rationnels, qui s'appuient sur une argumentation logique.

Il existe bien sûr toute une gamme intermédiaire incluant ceux qui mélangent les genres. Certains font même mine d'introduire des critères rationnels qui s'appuient sur des bases discutables (astrologie, voyance, etc.). Par souci de simplification, nous n'aborderons que les deux catégories citées ci-dessus.

En nous adressant aux intuitifs, nous devons faire appel au « coup de cœur », à leurs sentiments. Il est opportun de les faire rêver en les projetant dans un avenir extraordinaire, séduisant. L'aspiration, souvent inconsciente, de la plupart des porteurs de projet est de tomber sur des intuitifs qui auront le coup de foudre pour leur idée (eux-mêmes en sont déjà épris). C'est la raison pour laquelle ils présentent leur projet avec conviction et enthousiasme, en espérant secrètement que le décideur leur donne le feu vert sans exiger de leur part un *business plan* ou d'autres « détails ». Cependant, même s'ils essaient d'obtenir une « sentence » favorable en misant sur leur seul engouement, ils préfèrent croire que la décision est tout de même prise sur la base de critères rationnels, ce qui est plus rassurant…

Les rationnels sont plus « durs à cuire », car ils appuient leur décision sur des arguments aussi objectifs que possible. Cela signifie qu'ils veulent des faits et le maximum de certitudes. Cette exigence de rationalité impose aux porteurs de projets un important travail de recherche, afin de réunir les informations justifiant leur proposition.

Notre approche convient particulièrement aux rationnels, dans la mesure où elle s'appuie sur une structure de raisonnement. Si elle convient aussi aux intuitifs, ils l'emploieront néanmoins moins volontiers.

L'arbre de décision

Les décideurs utilisent généralement un arbre de décision pour sélectionner les projets méritants. C'est bien sûr le cas des rationnels, mais aussi de la plupart des intuitifs. Les uns et les autres se posent en effet – consciemment ou inconsciemment – les mêmes questions (ils diffèrent dans leur manière de choisir leurs sources pour y répondre).

Assez logique, l'arbre de décision est universel. Rares sont les décideurs, tant intuitifs que rationnels, qui contestent l'arbre de décision. En voici un exemple ; la liste des questions n'est évidemment pas exhaustive.

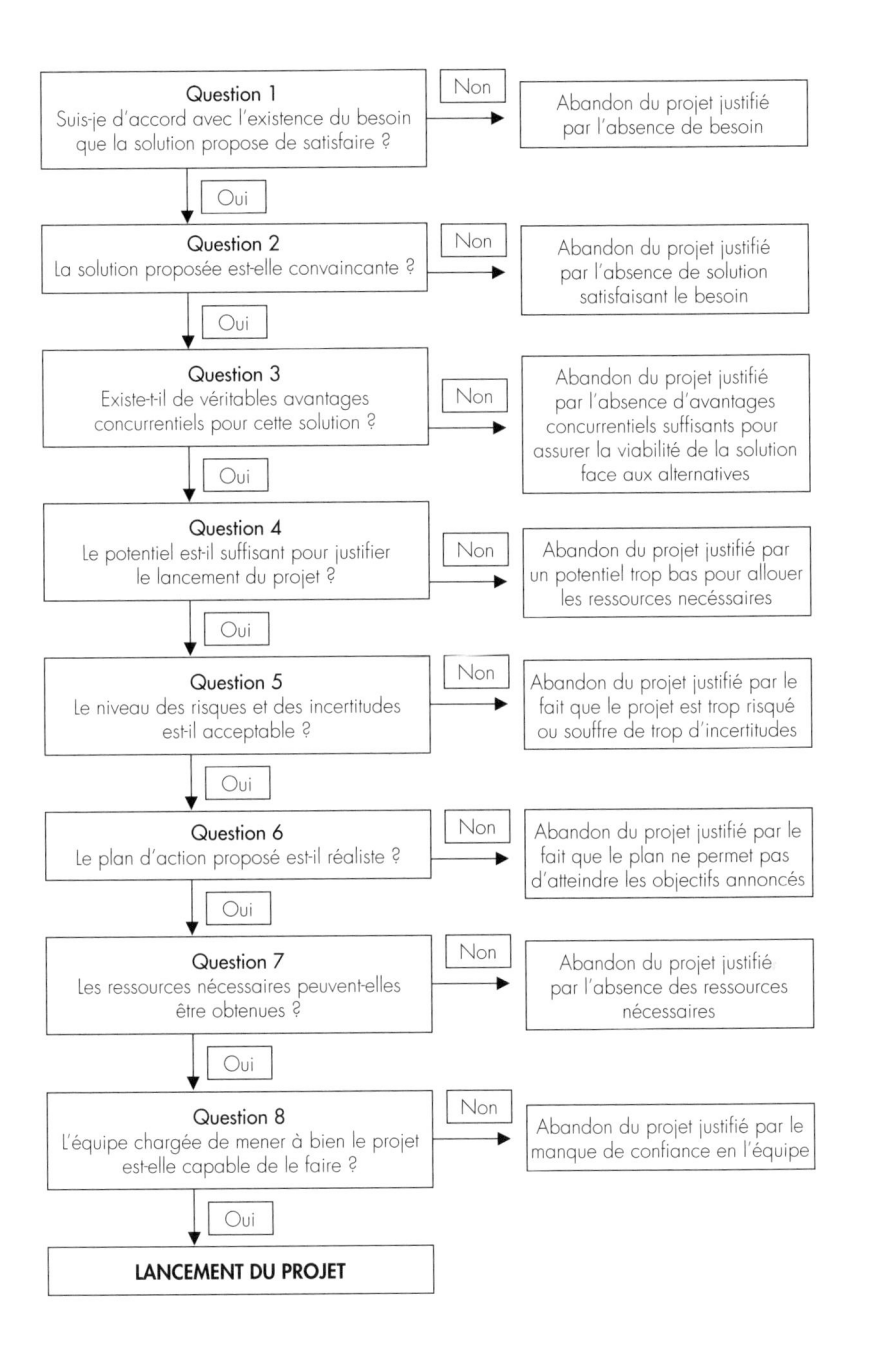

Question 1
Suis-je d'accord avec l'existence du besoin que la solution propose de satisfaire ?

Non → Abandon du projet justifié par l'absence de besoin

Oui ↓

Question 2
La solution proposée est-elle convaincante ?

Non → Abandon du projet justifié par l'absence de solution satisfaisant le besoin

Oui ↓

Question 3
Existe-t-il de véritables avantages concurrentiels pour cette solution ?

Non → Abandon du projet justifié par l'absence d'avantages concurrentiels suffisants pour assurer la viabilité de la solution face aux alternatives

Oui ↓

Question 4
Le potentiel est-il suffisant pour justifier le lancement du projet ?

Non → Abandon du projet justifié par un potentiel trop bas pour allouer les ressources necéssaires

Oui ↓

Question 5
Le niveau des risques et des incertitudes est-il acceptable ?

Non → Abandon du projet justifié par le fait que le projet est trop risqué ou souffre de trop d'incertitudes

Oui ↓

Question 6
Le plan d'action proposé est-il réaliste ?

Non → Abandon du projet justifié par le fait que le plan ne permet pas d'atteindre les objectifs annoncés

Oui ↓

Question 7
Les ressources nécessaires peuvent-elles être obtenues ?

Non → Abandon du projet justifié par l'absence des ressources nécessaires

Oui ↓

Question 8
L'équipe chargée de mener à bien le projet est-elle capable de le faire ?

Non → Abandon du projet justifié par le manque de confiance en l'équipe

Oui ↓

LANCEMENT DU PROJET

La présentation d'un projet devrait donc fondamentalement suivre cette articulation. Ceux qui abordent une étape avant même d'avoir obtenu une réponse positive lors de la phase précédente ont peu de chances d'aboutir. La démarche du modèle IpOp s'appuie essentiellement sur cette logique[1].

D'autres filtres, plutôt liés au décideur, viennent compléter cet arbre de décision, comme :

- l'intérêt personnel du décideur pour le domaine d'activité ;
- la compatibilité du projet avec ses valeurs ;
- sa disponibilité mentale pour s'investir dans un nouveau projet ;
- l'importance des ressources requises par rapport à celles dont il dispose ;
- la compatibilité avec d'autres projets qu'il a retenus ;
- ses expériences passées (positives ou négatives) ;
- sa confiance dans la capacité du porteur de projet à le réaliser ;
- etc.

© Groupe Eyrolles

---

1. C'est aussi le cas du mode de présentation des projets proposé au chapitre 16.

Chapitre 4

Il était une fois un besoin…

Une explicitation des besoins formulée par écrit engage l'entrepreneur et le conduit à rester focalisé sur ses objectifs

---

Les points abordés dans ce chapitre

- *Rédiger la déclaration d'opportunité*
- *Le rôle de la mission*
- *Vérifier la compatibilité de l'opportunité avec la mission*
- *La contribution aux ICP de l'organisation*

De l'identification du besoin et donc de la solution

Sarah rentre de son rendez-vous galant assez triste et dit à sa mère :
« David veut m'épouser.

– C'est un très gentil garçon, pourquoi es-tu si triste, mon chou ?
– Maman, David est athée. Il ne croit même pas que l'enfer existe !
– Mon chou, épouse-le ! Entre toi et moi, nous en ferons un croyant... »
  lui répond sa mère.

Trop d'innovateurs sont tellement « amoureux » de leur idée qu'ils ne prêtent pas assez attention aux besoins qu'elle est censée satisfaire. Ils se concentrent sur les caractéristiques de leur innovation, or seule une prise en compte globale des besoins permet de se focaliser sur ce qui compte vraiment pour les clients, et donc sur la réussite du projet.

Une fois l'opportunité identifiée, la « déclaration d'opportunité[1] » doit être rédigée. Ceci peut sembler un peu simpliste, mais c'est une manière très efficace de s'assurer que le besoin qui est censé être satisfait existe réellement et est bien circonscrit. Pensez au nombre de start-up qui ont échoué parce qu'elles ont cru, à tort, qu'un besoin existait !

Rédiger la déclaration d'opportunité

La déclaration d'opportunité précise, en une ou deux phrases, la nature du besoin que la solution prétend satisfaire. Exprimer le besoin n'est pas aussi évident qu'on pourrait le supposer. Presque toutes les déclarations d'opportunité qui nous ont été présentées par des groupes ou des individus ont dû être revues après une réflexion plus approfondie. Prenons l'exemple des SMS[2], abondamment utilisés par les adolescents. Nous pouvons supposer que leur succès repose sur différents points :

- les SMS sont moins chers qu'un appel téléphonique ;
- ils permettent d'atteindre quelqu'un qui n'est pas joignable par téléphone ;
- ils donnent à leur destinataire plus de temps pour préparer sa réponse ;
- ils offrent un mode de communication à sens unique, qui évite à l'expéditeur l'interaction directe avec le destinataire ;
- ils permettent de communiquer en silence.

---

1. Déclaration d'*opportuneed*.
2. *Short Messaging System*.

La clarification des besoins que l'on entend satisfaire, exprimée dans la déclaration d'opportunité, déterminera les options stratégiques qui, à leur tour, auront un impact significatif sur le résultat final. La rédaction de la déclaration d'opportunité exige donc non seulement une vraie compréhension du ou des besoins des utilisateurs, mais aussi un tri des besoins sur lesquels se concentrer.

Pour vérifier que la solution proposée satisfait un réel besoin, celui-ci doit d'abord être exprimé clairement. Les besoins exprimés de manière floue conduiront à des opportunités et des plans d'action flous et par là même, à des résultats mal ciblés… Formaliser la déclaration d'opportunité oblige l'entrepreneur à faire une analyse complète du besoin, au lieu de s'en tenir à une représentation mentale ou à une compréhension implicite. Nous sommes davantage liés par ce que nous écrivons que par ce que nous exprimons oralement.

Détailler les besoins peut également aider à se focaliser sur les aspects les plus critiques. Il est rare qu'un besoin soit simple et évident. Dans la plupart des cas, il combine différents paramètres que le porteur de projet devrait avoir la discipline d'exprimer. C'est ainsi qu'il pourra s'assurer que tous les besoins secondaires sont effectivement pris en compte.

Le fait que l'expression du besoin soit trop difficile à formuler dans la déclaration d'opportunité devrait être interprété comme un avertissement significatif : l'opportunité existe-t-elle vraiment ? Si le besoin du marché n'est pas assez manifeste, le porteur de projet doit être amené à comprendre que l'opportunité n'est pas suffisante pour être exploitée. La déclaration d'opportunité est en quelque sorte un remède contre l'amour (celui qui aveugle les porteurs de projet).

Mettre l'accent sur une gamme plus complète de besoins peut développer les affaires. Ainsi si les *pagers*[1] ne font que satisfaire des

---

1. Téléavertisseurs : appareils permettant de recevoir un message par liaison radio (mais pas d'en envoyer).

besoins de communication, leur pénétration du marché sera moindre que s'ils sont utilisés comme signes extérieurs d'appartenance. Ce deuxième besoin implique qu'ils peuvent être transformés en accessoires de mode : couleur, forme et design jouent alors un rôle important dans les critères d'achat des consommateurs. La déclaration d'opportunité « les adolescents ont besoin de systèmes de communication qui soient aussi des accessoires de mode » ouvre la porte à la personnalisation des appareils. C'est ce constat qui a conduit Motorola à augmenter radicalement la gamme de couleurs disponibles pour sa ligne de *pagers*. Il a même donné naissance à un marché très lucratif, fournissant aux utilisateurs de téléphones mobiles – contre paiement – des sonneries, des graphiques ou encore des housses pour personnaliser leurs appareils. Si la déclaration d'opportunité n'avait pris en compte que le besoin de « communication », les fabricants de téléphonie mobile se seraient privés d'opportunités d'affaires bien lucratives !

Identifier les clients ciblés par la solution est également essentiel pour se concentrer sur les segments du marché les plus intéressants. Les clients visés doivent donc être mentionnés dans la déclaration d'opportunité. Les activités promotionnelles de Ferrari, dont l'intimité-client est excellente, s'adressent aux segments du marché qui ont les moyens d'acquérir ses voitures ou qui ont le pouvoir de prescription nécessaire.

Une déclaration d'opportunité n'est pas un slogan. Les personnes invitées à en écrire une suggèrent très souvent un slogan ou un texte focalisé sur la solution qu'elles proposent. Il est important de réaliser que la déclaration d'opportunité est simplement une description du besoin : elle ne devrait pas aborder les caractéristiques de la solution. Étant à usage interne (et non à des fins de promotion), elle ne doit pas non plus être ramenée à quelques mots percutants.

Une déclaration d'opportunité écrite est une exigence absolue. La simple lecture d'une telle déclaration permet d'appréhender rapidement la perception que le porteur de projet a de son marché et de vérifier qu'il l'a bien compris.

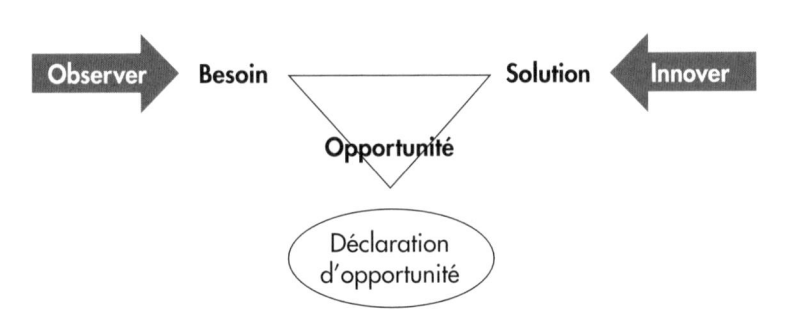

*Figure 2 : La déclaration d'opportunité explicite le besoin
que la solution vise à satisfaire*

La déclaration d'opportunité de Nespresso Classic

Les consommateurs épicuriens d'*expresso* aspirent à pouvoir consommer de manière valorisante, à domicile ou sur leur lieu de travail, à tout moment, sans savoir-faire ni manipulations, une variété de cafés haut de gamme, qualitativement comparables ou supérieurs à ceux produits par des machines *expresso* dans les établissements publics.

Le rôle de la mission

Clarifions maintenant le vocabulaire retenu dans ce livre. Plusieurs termes sont souvent employés pour dire des choses semblables, et à l'inverse, le même mot est parfois utilisé pour exprimer différents concepts.

La *vision* décrit l'aspiration – parfois un rêve – de l'organisation (« devenir le premier fournisseur de PC au monde »). Elle offre une perspective à très long terme, qui ne peut toutefois pas servir de guide au quotidien. Elle peut parfois même être hors de portée, telle l'étoile du Nord qui indique la direction. La *vision* n'est pas aussi concrète que la *mission* (voir plus loin).

La *charte d'entreprise* est l'équivalent de la constitution d'un pays. Elle exprime d'une façon générale les principes et les valeurs qui devraient régir le fonctionnement de l'organisation. La charte de HP (*the HP Way*) contient des déclarations comme « fournir des produits et services de la plus haute qualité et qui apportent la plus grande valeur ajoutée possible à nos clients, de manière à obtenir et à entretenir leur respect et leur loyauté[1] » ou « aider les collaborateurs de HP à profiter du succès de l'entreprise auquel ils ont contribué ; leur accorder une sécurité de l'emploi reposant sur la performance ; créer avec eux un environnement de travail sûr, agréable et intégré, qui valorise leur diversité et reconnaît la contribution de chacun ; faire en sorte que leur travail soit source de satisfaction et de réalisation ». Très souvent, ces principes de base peuvent s'appliquer à n'importe quelle organisation partageant une culture similaire. Ils ne sont pas aussi spécifiques à l'entreprise que la *mission*.

Les *objectifs* expriment les exigences générales qui devraient être réalisées. Ils n'ont pas forcément une valeur positive (un objectif de croissance nulle reste un objectif). La plupart des organisations partagent les mêmes objectifs principaux, au nombre de quatre :

- le profit (conceptuellement, il s'applique aussi au secteur public ou aux organisations à but non lucratif, qui doivent aussi respecter leurs contraintes budgétaires) ;
- la croissance ;
- la sécurité ;
- la responsabilité sociale.

---

1. Traduction libre de l'auteur du texte original : « To provide products and services of the highest quality and the greatest possible value to our customers, thereby gaining and holding their respect and loyalty » or « To help HP people share in the company's success which they make possible ; to provide them employment security based on performance ; to create with them an injury-free, pleasant and inclusive work environment that values their diversity and recognizes individual contributions ; and to help them gain a sense of satisfaction and accomplishment from their work »

La *mission* définit ce qu'une organisation veut spécifiquement réaliser à moyen terme. Il devrait y avoir une mission globale d'entreprise, ainsi qu'une mission pour chaque unité d'affaires ou sous-entité. Elles aident les collaborateurs à se focaliser sur ce que leur direction attend réellement de leur unité, et à mieux comprendre ce que les autres départements sont censés faire : la mission clarifie les frontières. Très spécifique, elle ne doit pas être facilement transposable à n'importe quelle autre organisation. Il est fréquent que la mission fasse, même indirectement, référence à certaines des valeurs prônées par l'entité concernée (l'innovation, la satisfaction des collaborateurs, etc.). La référence à des valeurs est source d'inspiration.

Vérifier la compatibilité de l'opportunité avec la mission

Dans les grandes organisations, la direction ne tolère en général aucun projet qui ne soutient pas sa mission. Au niveau de l'organisation, une mission floue « sabote » donc l'innovation : les collaborateurs ne peuvent savoir si leur idée sera ou non bien accueillie par leur direction puisqu'ils ne perçoivent pas clairement ce qu'on attend d'eux. La mission apparaît donc, sur le plan organisationnel, comme un ingrédient qui peut favoriser l'innovation. C'est donc un devoir pour les dirigeants de publier une mission claire, qui aide leur personnel à évaluer la pertinence des opportunités qui se présentent à eux (et des innovations correspondantes).

Par exemple, la mission adoptée par la division Field Marketing d'Oracle Corporation est « conditionner[1] le marché[2] à acheter, utiliser et recom-

---

1. « Conditionner » doit être compris dans un sens positif et éthique.
2. « Marché » signifie les clients, les prospects, les partenaires, les collaborateurs et les faiseurs d'opinion.

mander les produits Oracle[1] en prenant le leadership avec un marketing innovant[2] ». La mise à jour de cette mission, résultat d'un travail de groupe réunissant des collaborateurs d'Oracle, a contribué à l'introduction du *management par les opportunités*[3] dans cette division (la mission précédente ne satisfaisait pas les critères indiqués ci-dessus). Si un collaborateur trouve un nouveau moteur de recherche pour Internet, mais qu'il apparaît qu'un tel projet est sans aucun rapport avec la mission, le projet doit être abandonné, même s'il peut faire appel à la technologie Oracle. En revanche, il peut être retenu si une manière d'utiliser ce moteur de recherche soutient la mission, comme le fait de l'utiliser pour identifier toutes les applications sectorielles des logiciels Oracle.

Dans les start-up ou les PME, le chef d'entreprise renoncera intuitivement à saisir les opportunités qui ne le conduisent pas à atteindre ses objectifs personnels (des buts par ailleurs souvent plus personnels que ceux d'une grande organisation). Parfois, ces objectifs peuvent être aussi simples que « gagner de l'argent ». Notre seule recommandation est qu'ils soient clairement explicités.

L'opportunité doit soutenir la mission de l'organisation. Cette « compatibilité » est indispensable pour que l'organisation reste focalisée sur la réalisation des objectifs qu'elle s'est fixés. Les managers doivent s'assurer que les ressources de l'organisation, qui sont toujours limitées, sont d'abord utilisées pour réaliser la stratégie de l'organisation. C'est évidemment impossible lorsque les collaborateurs essaient de saisir des opportunités incompatibles avec la mission.

---

1. « Acheter, utiliser et recommander les produits Oracle » est à la fois explicite et atteignable.
2. Traduction libre de l'auteur de l'*Oracle Field Marketing Mission statement*: *"Condition the market to buy, use and recommend Oracle through innovative marketing leadership"*. Cette phrase est complétée par une autre précisant de manière plus explicite la manière dont cette mission doit être atteinte. Une étude a, par la suite, pu vérifier auprès des collaborateurs l'impact particulièrement positif de la clarification de la mission.
3. Voir chapitre 18.

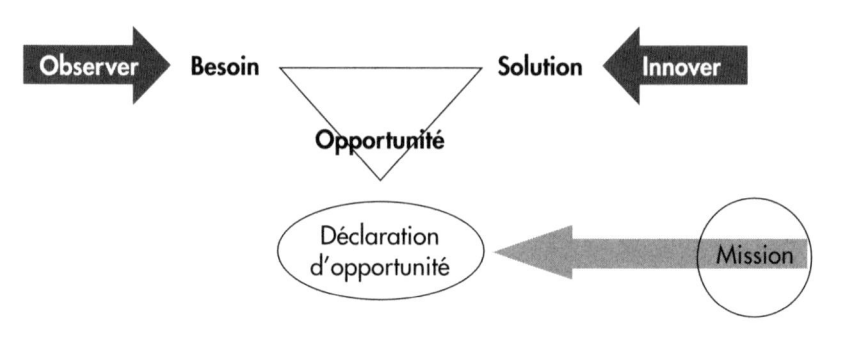

Figure 3 : L'opportunité, telle qu'exprimée dans la déclaration
d'opportunité, doit soutenir la mission de l'organisation

La contribution aux ICP de l'organisation

**Les indicateurs clés de la performance (ICP) expriment la mission
en paramètres mesurables.** Ils permettent de surveiller les progrès
réalisés pour accomplir la mission. Idéalement, ils sont définis dans un
tableau de bord qui intègre les diverses dimensions de cette stratégie[1].

**L'opportunité doit, en plus d'être compatible avec la mission,
contribuer à améliorer les ICP de l'organisation** ou de l'unité d'affaire
concernée. Pour convaincre la direction qu'une opportunité vaut la peine
d'être saisie, les collaborateurs devraient ainsi démontrer que son exploitation contribuera de façon mesurable à la réalisation des objectifs prédé-
finis. Pas si simple… Les porteurs de projet doivent donc citer les ICP qui
seront améliorés par l'exploitation de cette opportunité et montrer, si
possible, dans quelle mesure ils le seront durant la période considérée (en
indiquant les nouvelles valeurs qui pourraient être atteintes). En effet,
des données chiffrées sont toujours plus convaincantes.

---

1. Pour plus d'information sur les indicateurs, voir le chapitre 9 consacré à la « mesure
   du succès ».

Ce test très concret agit comme un filtre particulièrement efficace. En effet, si l'on peut démontrer à sa direction que le projet proposé augmentera la part de marché (en supposant que c'est un des ICP de l'entreprise), et qui plus est, que cette amélioration est quantifiable, alors elle sera tentée de retenir le projet, à moins que les ressources exigées ne soient vraiment pas disponibles. Si, au contraire, cette démonstration s'avère impossible, il faut s'interroger sur la pertinence de l'opportunité pour cette entreprise.

Les ICP doivent être fonctionnels au sein de l'entreprise. D'après notre expérience, il apparaît que les dirigeants qui ont rédigé une mission ont souvent du mal à choisir les ICP correspondants susceptibles d'être mesurés d'une façon pratique. Or non seulement le mécanisme de mesure et de publication doit être en place, mais il doit aussi fonctionner convenablement. Cela n'est pas toujours facile, particulièrement lorsque le système d'informations n'est pas entièrement opérationnel (mais l'est-il jamais ?).

Les ICP de l'organisation et des niveaux inférieurs doivent être connus du personnel. Une fois que les ICP, tant au niveau de l'organisation que de ses sous-entités, ont été choisis et sont effectivement mesurés, il faut s'assurer qu'ils sont acceptés par tous les employés concernés. Ainsi, les collaborateurs doivent non seulement les comprendre, mais également réaliser l'impact de leur propre activité sur certains de ces indicateurs. Pour atteindre cet objectif, la formation des collaborateurs, trop souvent négligée, est un prérequis.

En renonçant à publier les ICP, l'entreprise empêche ses collaborateurs de savoir sur quoi elle se focalise. Cela risque de leur ôter toute envie d'innover, dans la mesure où le système de filtrage « mission + ICP » n'est pas disponible pour les guider.

Chapitre 5

Au service des parties prenantes

Négliger les aspirations des parties prenantes peut être fatal

---

Les points abordés dans ce chapitre

- *Les parties prenantes*
- *Les aspirations des parties prenantes*
- Drivers *et* satisfiers
- *Les contraintes à prendre en compte*

De l'utilité de maîtriser les aspirations...

Trois hommes, un chef de projet, un ingénieur et un informaticien, passent deux semaines à Saint-Tropez pour un projet.

Au milieu de la semaine, ils décident d'aller faire un tour sur la plage durant la pause déjeuner. Au cours de leur promenade, l'un d'eux trébuche sur une lampe. Ils la frottent et, évidemment, un génie en sort.

Ce dernier leur dit : « Normalement j'accorde trois vœux, mais puisque vous êtes trois, j'accorderai un vœu à chacun de vous. »

L'ingénieur s'exprime le premier : « Je voudrais passer le reste de ma vie dans une énorme maison à Acapulco, sans aucun souci d'argent et entouré de belles femmes qui m'adorent. » Le génie lui accorde ce vœu et l'envoie à Acapulco.

L'informaticien enchaîne : « J'aimerais passer le reste de ma vie sur un immense yacht en Méditerranée, sans aucun souci d'argent et entouré de belles femmes qui m'adorent. » Le génie lui accorde ce vœu et l'envoie en Méditerranée.

Il se tourne alors vers le chef de projet pour lui demander :

« Et toi, quel est ton vœu ?

– Moi, je veux que les deux autres soient de retour après le déjeuner », répond le chef de projet.

Morale de l'histoire : laissez toujours le patron s'exprimer en premier.

Il est rare qu'un projet n'implique que son initiateur. Or nous sommes souvent tentés de croire que tout le monde a les mêmes aspirations ou attentes que nous. C'est rarement le cas, il faut donc intégrer dans son projet les attentes de toutes les parties prenantes[1].

Les parties prenantes

Les parties prenantes sont toutes les personnes à qui le porteur de projet doit rendre des comptes. Mieux vaut donc tenir compte de leurs aspirations pour éviter de les « fâcher ». Elles ont en effet un certain pouvoir : les fournisseurs peuvent cesser de livrer s'ils ne sont pas réglés, les clients peuvent arrêter d'acheter, les employés peuvent réduire leur niveau d'engagement, les autorités peuvent sanctionner l'entreprise si les impôts ne sont pas payés, le chef peut bloquer un projet qui ne lui convient pas, etc.

Dans le modèle d'analyse stratégique traditionnel, les parties prenantes sont généralement :

- les **clients** ;
- les **fournisseurs** ;
- les **actionnaires** ou les détenteurs de parts indépendants ;
- les **créanciers** et les bailleurs de fonds, ou le département financier de l'entreprise ;
- les **employés** ;
- la **société** et l'**État**.

Dans le contexte d'un projet, il peut y en avoir d'autre, comme **les proches du porteur de projet** (famille, amis) ou **les autres départements de l'entreprise** (qui peuvent chacun avoir des aspirations différentes).

---

1. C'est l'expression que nous avons retenue, faute de mieux, pour traduire le terme anglais *stakeholders* (certains utilisent « cercles concernés »).

Les concurrents ne sont pas des parties prenantes. Bien qu'ils puissent avoir un impact sur les perspectives de succès, nous n'avons normalement pas de comptes à leur rendre. Leurs aspirations seront prises en compte lorsqu'il sera question des facteurs susceptibles d'influencer le succès du projet[1].

Au sein d'une organisation, toutes les personnes dont le « territoire » est affecté par un projet peuvent devenir parties prenantes, pour autant que nous ayons des comptes à leur rendre. Elles appartiennent généralement à l'une des quatre catégories précisées dans le tableau suivant.

Parties prenantes	Conséquences
Les gagnants	Ils profitent du projet et adorent son initiateur
Les neutres	Le projet n'a pas d'impact sur leur existence, et ils laissent en paix son initiateur
Les frustrés	Ils vont souffrir à cause du projet, mais la douleur sera suffisamment supportable pour qu'une entente puisse être négociée
Les perdants	Ils estiment qu'ils ont trop à perdre : chaque acte du porteur de projet, quel qu'il soit, sera interprété comme une déclaration de guerre

Une bonne gestion des « territoires » exige d'épargner les parties prenantes tentées de résister aux changements induits par l'opportunité. On peut essayer de les associer au projet pour qu'elles en partagent le succès.

---

1. Voir chapitre 10.

Les aspirations des parties prenantes

Toutes les parties prenantes n'ont pas les mêmes aspirations face à l'opportunité. Il est donc intéressant d'établir, pour chacune d'elle, la liste de ses aspirations spécifiques. Pour simplifier, les aspirations peuvent ensuite être groupées, de manière à obtenir une image consolidée pour l'ensemble des parties prenantes.

Il est bon de garder à l'esprit que la plupart des personnes sont conditionnées par leurs « enjeux » (ce qui compte pour elles, leurs valeurs), **leurs intentions et leurs ambitions.** Intégrer ces paramètres dans la réflexion sur les aspirations de chaque partie prenante peut améliorer la qualité de l'analyse. Il est aussi possible d'impliquer les parties prenantes elles-mêmes dans cette réflexion, afin de clarifier leurs aspirations. Cette option évite de raisonner à tâtons, les aspirations n'étant pas toujours évidentes à identifier.

Les aspirations peuvent être conscientes ou non exprimées. À court ou à long terme, elles vont aussi peut-être, selon le contexte, évoluer dans le temps. Voici quelques exemples d'aspirations possibles :

- le profit (nous l'avons vu, les secteurs public, associatif et non lucratif peuvent aspirer à un profit zéro, de manière à couvrir leurs charges) ;
- la croissance ;
- l'ego des créateurs ou des dirigeants, la reconnaissance personnelle ;
- l'image de l'organisation ;
- le leadership technologique ou de métier ;
- le leadership commercial ;
- la création d'emplois ;
- la contribution sociale ;
- l'envie de réussir ;
- le « fun » ;
- l'autonomie, la liberté personnelle et la récompense financière pour les fondateurs d'entreprise ;
- etc.

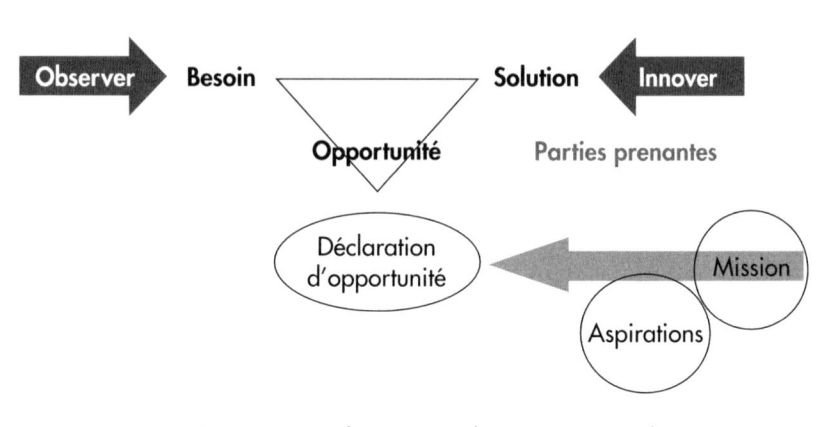

Figure 4 : *Comme pour la mission, les aspirations des parties prenantes doivent être prises en compte*

Ne pas prendre en compte les aspirations des parties prenantes peut être coûteux. Ignorer l'ego du directeur général d'une grande société, qui a besoin de briller, peut coûter très cher au porteur de projet… C'est souvent le résultat du syndrome NIH (*Not Invented Here*, soit « non inventé ici[1] »). L'histoire de Napster illustre bien aussi les conséquences d'une mauvaise prise en compte de certaines aspirations. Le champ d'action et le succès de la société empiétaient nettement sur le domaine de l'industrie du disque (une partie prenante). Celle-ci a bien sûr déclaré la guerre à Napster et a réussi à le mettre hors circuit. Pour l'heure, des émules de Napster sont parvenus à tirer leur épingle du jeu, mais il est difficile de croire à leur survie à long terme.

Drivers et *satisfiers*

Parmi les aspirations, il est bon de distinguer les *drivers* des *satisfiers*. Les *satisfiers* sont des aspirations qu'il est nécessaire de satisfaire jusqu'à un certain niveau (un seuil).

---

1. Ce qui a été inventé par d'autres n'est ni intéressant ni acceptable…

Les parties prenantes de Nespresso Classic et leurs aspirations

Aspirations	Parties prenantes					
	Consommateurs	Détaillants	Management de Nestlé	Fabricants de machines	Actionnaires de Nestlé	Porteurs du projet
Profit		D	D	D	D	D
Image	S	S	D	D		D ou S
Reconnaissance			D			D
Ego			S			S
Croissance		D	D	D	D	
Plaisir	S					D
Pérennité	S	S	S	S	S	
Santé	S		S		S	D

S = satisfier D = driver

Les *drivers* n'ont, au contraire, aucune limite supérieure. En résumé :

- pour les *drivers* : plus on les satisfait, mieux c'est ;
- pour les *satisfiers* : une fois le seuil atteint, il n'est pas utile d'investir ses ressources pour aller plus loin.

Comme les *drivers* n'ont pas de plafond, le porteur de projet doit leur prêter une attention particulière. Il doit s'assurer que l'opportunité est en mesure de contribuer de manière significative à la satisfaction des *drivers* des parties prenantes, et en priorité de celles qui sont particulièrement importantes.

Cela ne signifie pas que les *satisfiers* doivent être négligés, notamment tant que leur seuil n'a pas été atteint. Cependant au-delà de ce palier, l'entrepreneur peut se concentrer sur les *drivers*.

Les contraintes à prendre en compte

Certaines règles à respecter limitent la liberté du porteur de projet. Il est, par exemple, interdit de verser des dessous-de-table ou de vendre certains produits à certaines organisations.

Nous pouvons nous imposer des contraintes, ou nous les faire imposer (typiquement par l'employeur). Les contraintes que nous nous imposons librement peuvent être :

- de ne s'occuper que d'activités écologiques ;
- de n'intervenir que dans une zone géographique donnée (pas d'exportation hors de cette zone) ;
- de ne pas collaborer avec des entreprises qui n'offrent pas des conditions de travail décentes (travail des enfants) ;
- de ne pas distribuer des profits au-delà d'une certaine limite de rentabilité des fonds propres (cas des supermarchés Migros en Suisse) ;
- etc.

Les contraintes imposées par l'organisation peuvent être du même ordre. Certaines sont des règles « officielles », comme « les nouveaux produits doivent dégager une rentabilité supérieure à celle de la moyenne de l'entreprise ». L'utilisation de certains produits peut également être une source de contraintes. Linux impose ainsi que le code de programmation soit accessible (*open code*), ce qui empêche de bloquer l'accès aux concurrents, à moins que certaines conditions spécifiques ne soient réunies.

Certaines contraintes sont même imposées par des clients ou d'autres partenaires. C'est le cas de la certification aux normes ISO 9 000. De même, les fournisseurs des grands détaillants sont de plus en plus tenus de mettre en place le protocole EDI[1] qui permet d'échanger, de manière digitale, des confirmations de commande, des factures, etc. Par ailleurs, il convient aussi de noter que certains clients ne veulent pas dépendre d'une source unique pour des pièces ou des processus critiques. Ainsi, ils peuvent être amenés à rejeter une nouvelle technologie plus performante, simplement pour éviter la dépendance, particulièrement envers une start-up dont l'avenir n'est pas assuré.

D'autres contraintes proviennent des valeurs et de la culture de l'organisation. Récemment encore, il était impensable que des banquiers privés suisses fassent de la publicité pour soigner leur image. La culture prédominante imposait un profil bas. N'importe quelle initiative ou innovation visant à augmenter la visibilité était condamnée d'office, parce qu'elle était considérée comme inacceptable pour les dirigeants (les temps ont changé, et aujourd'hui, les banquiers privés font de la publicité).

Reconnaître que certaines contraintes n'en sont pas vraiment peut créer de nouvelles opportunités. Quand Richard Branson a offert aux passagers de la classe Affaires de Virgin Atlantic un service comparable à celui de la première classe, il a fondamentalement remis en question la nécessité d'avoir une première classe à bord. Pour lui, la première classe n'était pas une contrainte, alors que les autres compagnies aériennes

---

1. *Electronic Data Interface.*

croyaient qu'elle était indispensable. De même, l'adhésion à IATA[1] a longtemps été considérée comme un passage obligé pour les compagnies d'aviation, ce qui restreignait considérablement leur liberté de manœuvre sur le plan tarifaire. Pour leur part, les compagnies « à bas prix » ont estimé que les contraintes imposées par l'association à ses membres représentaient une opportunité de proposer aux voyageurs des modèles tarifaires alternatifs tout à fait attractifs.

Aucune règle contournable ou négociable n'est une vraie contrainte. Si elle peut être négociée, c'est alors le résultat de cette négociation qui devient la véritable contrainte. En revanche, les vraies contraintes sont incontournables et il faut « faire avec ». Les entrepreneurs doivent donc concilier les besoins de l'opportunité avec les contraintes internes et externes. Pour cela, il est recommandé de cataloguer les contraintes – ce qui réduit le risque d'en oublier – afin d'avoir une vision plus pertinente de l'environnement dans lequel le projet évolue.

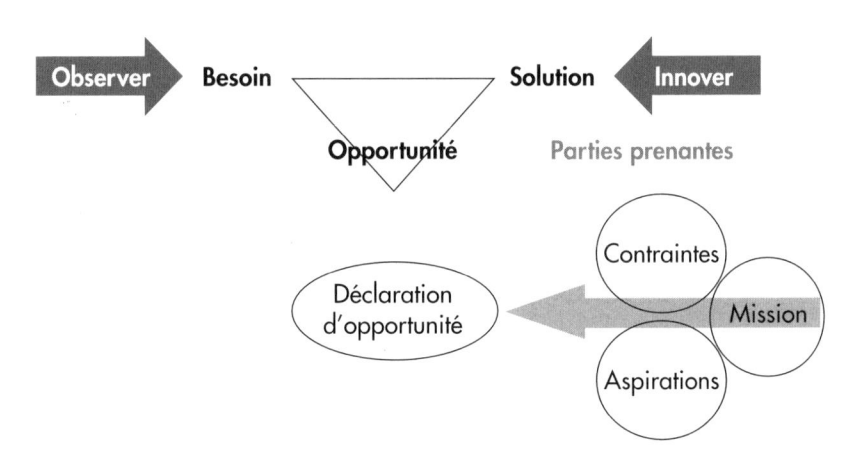

Figure 5 : *Pour être sûr de ne pas en oublier, les contraintes doivent être explicitées*

---

1. *International Air Transport Association* : Association internationale du transport aérien.

Les contraintes de Nespresso Classic

- Assurer une qualité supérieure constante
- Respecter les principes de management et de développement de Nestlé
- Dégager une rentabilité égale ou supérieure à la moyenne du groupe Nestlé

Chapitre 6

La loi du plus concurrentiel

Le plus performant est celui qui a des avantages concurrentiels

---

Les points abordés dans ce chapitre

- *Identifier les principaux acteurs du marché*
- *Les critères de décision des clients (CDC)*
- *La check-list des 5 F*
- *Le benchmarking*
- *Où exceller ?*

De l'identification des critères de décision
de la mère supérieure

La vieille mère supérieure allait mourir. Les nonnes s'empressaient autour de son lit, essayant de la soulager. Elles lui donnèrent du lait chaud qu'elle refusa. Une des nonnes ramena le verre à la cuisine.

Se souvenant d'une bouteille de whisky reçue en cadeau lors du dernier Noël, elle l'ouvrit et en versa une bonne quantité dans le lait chaud. De retour dans la chambre de la mère supérieure, elle porta le verre aux lèvres de la vieille femme. La mère but une gorgée, puis plusieurs, et en quelques secondes, elle avait bu le contenu du verre jusqu'à la dernière goutte.

« Mère, mère, pleurèrent les nonnes, enseignez-nous votre sagesse avant de mourir ! »

La mère supérieure se souleva de son lit avec un air pieux sur le visage et, pointant du doigt la fenêtre, elle dit : « Ne vendez pas cette vache ! »

Une stratégie de *me too*[1] peut parfois fonctionner, particulièrement pour les entités ayant des ambitions limitées. Une *me too* est une entreprise qui fait la même chose que d'autres acteurs déjà présents sur le marché. La seule condition de sa réussite est que la demande du marché soit suffisamment forte pour nourrir de nouveaux prestataires. Il est toujours possible d'ouvrir une nouvelle épicerie. Cependant, sans apporter un « plus », il sera difficile de concurrencer les acteurs déjà bien établis.

Le but principal de l'innovation est précisément d'acquérir des avantages concurrentiels. C'est grâce à eux que l'organisation peut augmenter ses parts de marché et distancer ses concurrents ou que le nouveau venu peut pénétrer le marché.

Pour expliciter ses avantages concurrentiels[2], il faut :

- identifier les principaux concurrents ;
- comprendre les caractéristiques principales du produit qui contribuent à la conquête du marché ;
- faire le benchmarking de sa performance, par rapport aux concurrents principaux, pour voir si l'on dispose d'un avantage.

Identifier les principaux acteurs du marché

Les concurrents sont toutes les organisations qui s'adressent au même segment de marché. Ce ne sont pas seulement celles qui utilisent une technologie ou une approche comparable à la nôtre pour satisfaire le même besoin. L'exploitant d'un bateau qui propose d'admirer les fonds marins a pour concurrents tous ceux qui proposent aux touristes, sur le lieu de villégiature concerné, des activités récréatives. Cela va donc des différents types de divertissement sur le thème de la mer aux musées,

---

1. Moi aussi.
2. L'identification des avantages concurrentiels fait partie de la traditionnelle analyse SWOT.

en passant par les centres commerciaux : tous sont susceptibles d'éloigner le client du bateau. Autrement dit, l'« ennemi » est partout !

La meilleure manière d'identifier ses concurrents est de développer un niveau élevé d'intimité avec ses clients. Être près d'eux permet effectivement de savoir qui les sollicite et qui travaille avec eux. Attention à ne pas négliger les concurrents potentiels, qui ne sont pas encore sur le marché. Netscape, après avoir profité de l'avantage à être le premier sur le terrain des navigateurs Internet, a vu fondre ses parts de marché lorsque Microsoft a lancé Internet Explorer®. Microsoft n'était pourtant pas encore un concurrent pour Netscape lorsque celui-ci a démarré son activité. Les « retardataires » peuvent être redoutables, surtout lorsqu'ils ont la carrure ET les ressources suffisantes pour récupérer le territoire perdu.

Principaux concurrents de Nespresso Classic au moment du lancement

Au moment du lancement de l'opération, les principaux concurrents de Nespresso étaient :

- les machines *expresso* traditionnelles ;
- le café soluble ;
- le café filtre ;
- les bars et les restaurants ;
- le thé.

Les outils de la veille concurrentielle sont précieux pour comprendre les forces et les faiblesses des principaux acteurs du marché. Internet conduit généralement à obtenir près de 80 % des informations nécessaires. Une bonne partie des 20 % d'informations manquantes sera aisément obtenue grâce aux outils d'analyse de l'intelligence concurrentielle.

Mise en œuvre de la veille concurrentielle par Nespresso Classic

Nespresso a bien compris qu'Internet est une source d'informations exceptionnelle pour connaître le marché et les concurrents éventuels. Pour en tirer parti, elle a fait appel à une société externe[1] qui lui a donné les moyens d'accroître sa réactivité, en lui fournissant les informations suivantes :

- une analyse de marché sur la manière dont les consommateurs perçoivent réellement les produits ;
- des outils pour mieux valoriser les avantages concurrentiels de Nespresso ;
- des informations sur l'évolution de la demande et de l'offre ;
- une protection proactive de l'image de marque de Nespresso (monitoring sur le web pour détecter toute utilisation illicite de la marque et mesures offensives visant à dissuader ceux qui seraient tentés de le faire).

Les critères de décision des clients (CDC)

Comment les identifier ?

Par définition, les critères de décision des clients sont ceux qui les aident à choisir une prestation plutôt qu'une autre. Les caractéristiques du produit qui sont des CDC sont donc celles qui vont faire la différence et permettre d'augmenter ses parts de marché.

Les CDC peuvent inclure n'importe quel paramètre, du moment qu'il contribue à faire pencher la balance en faveur du fournisseur qui le propose. Ce peut être la marque, la facilité d'emploi, le prix, la

---

1. www.ic-agency.com

disponibilité immédiate, un grand choix, le design, l'intimité avec les clients, la qualité de la communication clients, un avantage technologique, un brevet, etc.

L'intimité avec les clients doit conduire à l'identification de ces CDC. En effet, tenter de les deviner peut être dangereux, voire suicidaire. Des hypothèses de travail non vérifiées peuvent se révéler fallacieuses et mener à une voie de garage. En l'occurrence, il ne s'agit pas de savoir si des caractéristiques sont essentielles ou pas, certaines étant fondamentalement nécessaires au produit. Une voiture sans freins ne trouvera aucun acquéreur, mais construire une voiture avec des freins ne suffit nullement à augmenter ses parts de marché ! Proposer une voiture avec des freins est simplement une des composantes de la « meilleure pratique ou pratique d'excellence[1] ».

Différents segments de marché peuvent utiliser différents CDC. Les consommateurs allemands sont particulièrement soucieux de l'impact environnemental d'un produit. Pour eux, l'impact environnemental sera un CDC, mais ce ne sera pas le cas dans tous les pays. L'accueil des organismes génétiquement modifiés (OGM) a été très différent en Europe et en Amérique du Nord. Cette mauvaise analyse du contexte culturel a coûté très cher à Monsanto[2].

Le modèle qui suit peut être utilisé pour identifier les dimensions sur lesquelles mettre l'accent. Le plus souvent, les clients sélectionnent un produit selon les critères suivants (dans l'ordre) :

- la **fonctionnalité** comprend toutes les caractéristiques permettant au produit de faire ce qu'on en attend, y compris les prestations immatérielles ;
- la **fiabilité** confirme que les fonctionnalités du produit sont systématiquement livrées et ce, de manière durable ou reproductible ;

---

1. *Best practice.*
2. Entreprise active dans l'agroalimentaire.

- le **confort** exprime la facilité d'usage ou d'accès du produit ou service ;
- le **prix** exprime la valeur accordée au produit ou au service.

Contrairement aux idées reçues, le prix n'est pas le premier critère de sélection, il ne vient généralement qu'en quatrième position. Pour preuve, prenons l'exemple de la téléphonie.

Ordre	Critères	Appliqués à la téléphonie	Commentaires
1	Fonctionnalité	Pouvoir appeler et recevoir des appels	Indépendamment du prix, personne n'achète un téléphone qui ne permet ni d'appeler ni de recevoir des appels
2	Fiabilité	Communiquer sans interruption avec son correspondant	Pour des fonctionnalités équivalentes, les utilisateurs donneront la préférence au téléphone qui fournit le niveau maximum de fiabilité correspondant à leur besoin
3	Confort	Utiliser un téléphone mobile plutôt qu'un téléphone fixe	Pouvoir communiquer depuis n'importe endroit augmente considérablement le degré de liberté des usagers
4	Prix	Prix par minute	

L'eau minérale est un autre exemple intéressant. Le goût, la teneur en minéraux et l'absence de chlore sont les CDC de l'eau minérale. Les autres critères, comme le confort ou le prix, sont presque secondaires. Non seulement les consommateurs sont disposés à payer un prix près de mille fois supérieur à celui de l'eau courante (sacrifice du prix), mais ils sont également prêts à transporter les bouteilles (sacrifice du confort) !

Les clients sont prêts à payer une prime substantielle pour bénéficier d'un niveau de confort supérieur. Pour preuve, la téléphonie mobile a un succès extraordinaire alors qu'elle est trois à dix fois plus chère que la téléphonie fixe. Augmenter le niveau de confort, qui est un important CDC, permet de demander au client un prix sensiblement plus élevé.

Le vrai confort est celui qui correspond au niveau réellement exigé par les clients. À cet égard, le confort est une aspiration pour laquelle le client a fixé un certain seuil (cela en fait donc un *satisfier*). Inutile alors de fournir un niveau de confort plus élevé, car ce supplément n'augmente pas véritablement la satisfaction du client. Prenons la livraison à domicile du lait, tombée en désuétude. Comme la plupart des consommateurs s'approvisionnent de toute façon au supermarché pour l'ensemble de leurs achats, le confort supplémentaire que procurait la livraison du lait n'est plus justifié. Ici encore, l'intimité avec les clients est essentielle pour identifier le niveau de confort souhaité.

CDC de Nespresso Classic sur le marché des cafés prédosés (classés par ordre d'importance)

- Goût et qualité comparables aux cafés préparés par les meilleurs professionnels
- Choix parmi de nombreuses variétés de café
- Image projetée
- Design des machines
- Facilité et disponibilité de production (rapide, pratique, simple, propre, portion individuelle…)
- Confort d'achat et service après-vente (SAV)
- Fiabilité et qualité constante
- Prix

Les pièges classiques du choix des CDC

Attention à ne pas prendre à tort certaines caractéristiques pour des CDC. Voici les erreurs les plus courantes :

- **vouloir appliquer des découvertes technologiques à des besoins déjà satisfaits.** C'est ce qu'a fait hélas www.boo.com, qui a dépensé plus de cent millions d'euros pour vendre des vêtements sur Internet en utilisant des logiciels de visualisation sophistiqués ;

- **proposer des solutions plus simples ou meilleures qui imposent un changement d'infrastructure très coûteux.** C'est particulièrement vrai dans les situations de B2B : la diffusion de films numériques dans les salles de cinéma ne pourra intervenir que si un argument contraignant oblige les exploitants à remplacer leur matériel de projection analogique par du matériel numérique ;

- **se focaliser sur des besoins non encore satisfaits qui s'avèrent justement ne pas être réels.** Le réseau de téléphonie par satellite Iridium illustre bien cette catégorie ;

- **proposer un processus moins cher ou meilleur, mais impossible à intégrer dans la chaîne de valeur des clients.** Le *business model* de Dell ne peut pas être imité par HP ou IBM, car ils ne peuvent s'offrir le luxe de renoncer au réseau de distributeurs qu'ils ont précédemment mis en place ;

- **croire qu'il suffit d'être le premier sur le marché pour réussir,** même sans partenaire stratégique ou sans avoir atteint une certaine taille critique. Netscape a cru, à tort, que dominer le marché initial des navigateurs Internet suffirait pour rester leader. Cela démontre que l'avantage du premier acteur[1] est parfois un mythe ;

- **fournir une solution unique que les « grosses pointures » peuvent facilement copier.** Les premiers courtiers d'actions en ligne sont

---

1. *First mover advantage.*

peu nombreux à avoir survécu : ils n'ont pu empêcher Charles Schwab[1] de saisir une part de marché considérable, malgré son arrivée tardive.

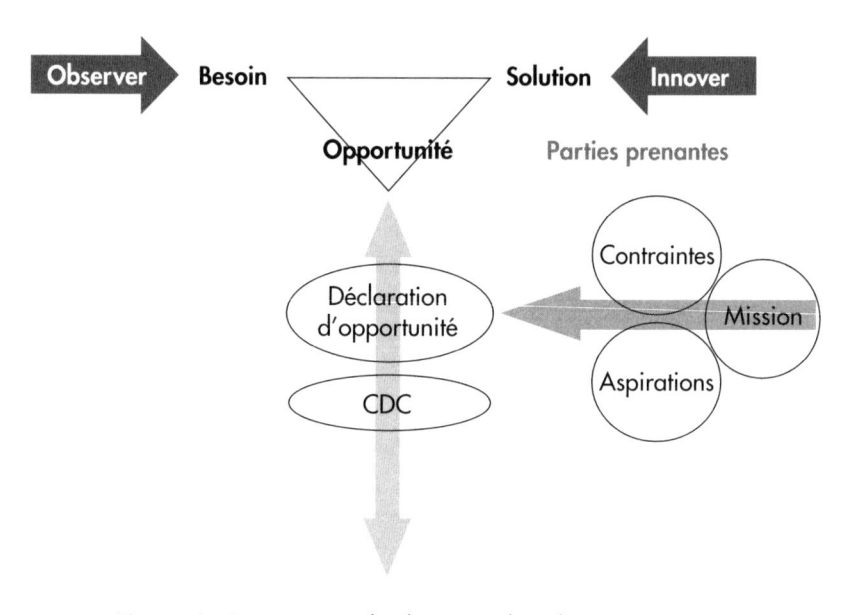

Figure 6 : *Les critères de décision des clients (CDC) sont les caractéristiques de la solution qui vont faire pencher la balance en faveur du fournisseur les proposant*

La check-list des 5 F

Voici la liste des cinq attentes des clients mettant en évidence les bénéfices qu'ils retirent de leur acquisition. Ces attentes, mentionnées par Rhonda Abrams[2], commencent toutes en anglais par un « F ». Un produit ou un service dont les CDC satisfont tous ces « F » a des chances de réussir.

---

1. Charles Schwab and Co., Inc. est une des plus grandes enterprises de courtage sur les bourses américaines qui pratique des prix discount par rapport aux courtiers traditionnels.
2. www.rhondaonline.com

	5 F en anglais	**En français**	**Explications**	**Exemples de questions à se poser pour vérifier que chaque « F » est pris en compte**
1	Functions	Fonctions	Inclut les fonctionnalités du produit qui doivent satisfaire les besoins réels des clients	Le produit est-il utile au client ?
2	Finances	Finances	Explicite les implications financières pour le client (non seulement le prix, mais aussi d'autres dimensions financières, comme les économies ou les améliorations de productivité)	Comment l'achat affectera-t-il la situation financière globale du client ?
3	Freedom	Liberté	Exprime la manière dont le produit augmente la liberté et la qualité de vie du client	Comment le client gagnera-t-il du temps et s'épargnera-t-il des soucis grâce au produit ? Est-il facile d'acheter et d'utiliser le produit ?
4	Feelings	Sentiments, perceptions	Couvre les paramètres émotionnels liés au produit	Quels sont les sentiments et les émotions du client lors de l'achat et de l'utilisation du produit ? Quel est l'impact du produit sur l'image du client ?
5	Future	Futur	Tient compte d'une vue à long terme de l'impact du produit sur le client	Quelle sera l'évolution dans le temps de l'utilisation du produit par le client ? Comment sa relation avec son fournisseur évoluera-t-elle ? Comment le produit affectera-t-il la vie du client durant les prochaines années ? Contribuera-t-il à lui donner un plus grand sentiment de sécurité par rapport au futur ?

Les 5 F pour Nespresso Classic

Rappel : le client de Nespresso est le consommateur individuel, propriétaire d'une machine qui accepte les capsules. Le raisonnement qui suit serait différent pour un professionnel de la restauration.

Fonctions

Préparer l'*expresso*, le *cappuccino* et le café *lungo*.

Finances

Même si le coût du café à l'unité est plus élevé que celui d'un café traditionnel, le fait pour le consommateur de pouvoir, lorsqu'il le désire, boire un *expresso* de qualité sans avoir à se déplacer pour se rendre dans un établissement public où il devra débourser pour consommer est un argument économique.

La longue durée de stockage supprime le risque de devoir jeter le café traditionnel, qui s'évente après avoir été exposé à l'air.

La livraison à domicile du café commandé 24 heures sur 24 et 7 jours sur 7 évite au consommateur d'avoir à se déplacer pour s'approvisionner. Le temps gagné peut être utilisé pour des activités plus productives.

Le système Nespresso coûte donc finalement moins cher que les alternatives proposant un *expresso* comparable.

Liberté

Le système Nespresso représente un véritable gain de temps et d'effort, puisqu'il n'y a aucune manipulation à faire, et ce pour un résultat garanti.

Aucun apprentissage n'est requis, contrairement aux autres manières de préparer un *expresso*.

La possibilité de consommer un *expresso* à n'importe quel moment affranchit le consommateur des contraintes horaires des établissements publics.

Le fait de disposer d'une grande variété de cafés donne à chacun la liberté de boire un café à son goût sans avoir à subir le choix du groupe.

Sentiments, perceptions

En ayant le plaisir renouvelé de déguster un café d'exception (goût et texture), le client se perçoit comme un connaisseur.

Le fait de pouvoir proposer à ses invités un choix de cafés haut de gamme est aussi une source de fierté.

L'image véhiculée par Nespresso est une image de jouissance, qui valorise les consommateurs en leur donnant le sentiment de consommer un produit de luxe.

S'affranchir de la corvée de préparation du café et du nettoyage de la machine est un luxe réservé à ceux qui ont les moyens de se l'offrir.

Futur

Le temps gagné grâce à Nespresso peut être utilisé pour des activités plus productives, susceptibles d'avoir un impact sur le futur.

La possibilité de mieux recevoir ses invités peut créer des opportunités professionnelles ou relationnelles.

Le benchmarking

Le benchmarking permet de comparer la force relative de chaque concurrent (en s'incluant dans l'opération). Puisqu'ils jouent un rôle central dans la décision du client, c'est sur la base des CDC que la comparaison doit être faite : on attribue à chaque concurrent du benchmarking une note, sur la base d'une échelle, en fonction de sa capacité à fournir chaque CDC. L'échelle de notation suivante est largement suffisante pour définir le niveau de prestation de chacun : 0 Non fourni ; 1 Insuffisant ; 2 Suffisant ; 3 Bon ; 4 Exceptionnel.

Un fournisseur peut difficilement faire preuve d'excellence pour tous les CDC. S'il y parvenait, personne n'aurait intérêt à le défier, car il aurait les moyens d'éliminer tous ses adversaires pour se retrouver en situation de monopole.

N°	CDC	Nespresso	Concurrents				
			Machines expresso à domicile	Café soluble	Café filtre	Bars et restaurants	Thés
1	Goût et qualité comparables aux cafés préparés par les meilleurs professionnels	4	3	2	2	4	4
2	Choix parmi différentes variétés de café	4	2	2	3	2	4
3	Image projetée	4	4	1	1	4	
4	Design des machines	4	2	2	2	NA	1
5	Facilité et disponibilité de production (rapide, pratique, simple, propre, portion individuelle,...)	4	2	3	2	1	3
6	Confort d'achat et service après-vente (SAV)	4	2	2	2	3	4
7	Fiabilité et qualité constante	4	2	4	3	3	3
8	Prix de chaque café	2	3	3	3	1	2

Benchmarking des CDC (consommateurs) pour Nespresso Classic et ses principaux concurrents

Il faut donc renoncer à atteindre la perfection pour certains CDC, et choisir ceux pour lesquels on veut se distinguer, en les hiérarchisant. La question est de savoir quelles seront les conséquences commerciales de ce choix, en gardant à l'esprit qu'atteindre l'excellence pour un CDC consomme des ressources. Soulignons qu'il est difficile de faire preuve d'excellence pour plus de quatre CDC.

Une autre analyse intéressante consiste à identifier la combinaison de CDC qui crée une synergie d'avantages concurrentiels. Par exemple, un prix bas (un CDC typique) est un atout moindre pour un ordinateur portable qui réussit à combiner une petite taille, un poids très léger, des batteries à grande autonomie, un processeur rapide et une grande capacité de stockage. Comme le lecteur de disquettes et le lecteur de DVD/C ne sont pas constamment employés, ils peuvent être remplacés par des unités externes, afin de réduire la taille et le poids du portable. Le fabricant d'un tel modèle articule sa stratégie autour de la performance et accepte de laisser à d'autres le privilège de se battre sur le prix et l'équipement intégré.

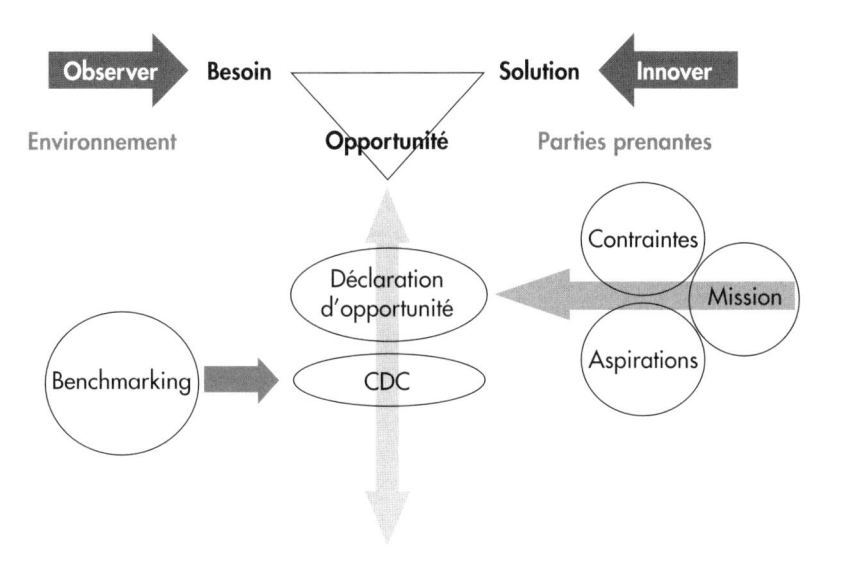

Figure 7 : Le benchmarking permet de choisir les CDC sur lesquels focaliser ses ressources pour faire preuve d'excellence

Le choix des CDC est stratégique. La technologie Polaroïd de développement instantané était un CDC qui a permis à la compagnie de devenir une multinationale. Néanmoins, cet empire n'a pas survécu à l'avènement de l'impression numérique bon marché, qui a non seulement remis en question la technologie du Polaroïd, mais également créé d'autres CDC, comme la capacité d'éditer les images et de les diffuser par e-mail.

Choisir le prix comme unique CDC est un exercice risqué, particulièrement si l'on ne possède pas d'autres avantages concurrentiels contribuant à dominer le marché (très grand volume de production, réseau de distribution étendu, marque reconnue, force de vente bien implantée, etc.). De plus, avec l'arrivée des fournisseurs de pays émergents qui font des offres toujours plus agressives sur des produits sophistiqués, il est inévitable de voir un jour s'installer un nouveau venu proposant un prix plus bas.

Le prix ne devrait donc normalement pas faire partie des quatre CDC retenus. Cela signifie que les CDC choisis doivent apporter suffisamment de valeur au produit pour que son prix joue un rôle marginal dans sa vente. Voici pour preuve l'exemple, édifiant s'il en est, de Swatch : le prix de fabrication d'une Swatch® « de base » est probablement inférieur à trois euros. La montre pourrait évidemment être vendue à un prix sensiblement inférieur au prix de détail actuel (environ trente euros), mais la présence d'autres CDC comme la marque, le design, l'image et le facteur « mode » permettent d'augmenter la valeur perçue jusqu'à son niveau actuel.

Où exceller ?

Il y a fondamentalement trois pôles d'excellence :
- la **supériorité du produit** (le meilleur produit) ;
- l'**efficacité opérationnelle** (les meilleurs coûts et délais) ;
- l'**intimité-client** (la relation la plus intime).

Figure 8 : *Les trois pôles d'excellence*

Il est extrêmement difficile d'être simultanément leader dans chacune des trois dimensions. En général, les organisations parviennent à être leader dans un, parfois deux de ces pôles. Leur produit peut être le meilleur dans une catégorie donnée, mais cela ne signifie pas que c'est le meilleur produit, toutes catégories confondues. Dell vend avec succès des ordinateurs performants à un prix très concurrentiel, mais ce ne sont pas les meilleurs ordinateurs. Bien qu'il y ait sur le marché des ordinateurs plus puissants, Dell domine ce marché grâce à ses résultats dans les autres dimensions.

La supériorité du produit est la stratégie privilégiée par de nombreuses entreprises, en particulier dans le domaine technologique. Malheureusement, cette stratégie exige des frais de recherche et développement élevés. Il n'est pas facile de maintenir une avance technologique vu les progrès extrêmement rapides en la matière : à tout moment, le leader peut être détrôné par un nouvel entrant apportant une meilleure solution. Si la supériorité du produit peut être une très bonne stratégie, ce choix peut se révéler coûteux à long terme.

Quand le prix joue un rôle essentiel, l'efficacité opérationnelle est généralement un axe d'excellence. Dans cette hypothèse, l'entreprise livre le plus rapidement au coût le plus bas. Cet avantage concurrentiel évident dans beaucoup de secteurs fut l'une des clés du succès qui ont donné aux entreprises de messageries, comme DHL, les moyens de prendre à la Poste une substantielle (et lucrative) part de marché. Toutefois, le prix et le délai de livraison ne sont pas nécessairement les plus importants facteurs de succès.

L'avantage principal d'avoir la meilleure relation-client est qu'elle compense, au moins partiellement, l'impact d'une faible efficacité opérationnelle ou d'un produit moins performant. Porsche a établi un niveau si remarquable d'intimité-client que cette société pourrait même se dispenser de fabriquer les meilleures voitures et de les fournir selon les meilleurs délais et au meilleur prix. Cette notoriété ne l'empêche cependant pas de produire d'excellents véhicules…

Une marque établie est un moyen très efficace d'entretenir l'intimité-client. Cela explique pourquoi la valorisation de certaines marques peut atteindre des milliards d'euros. Cependant, même les plus connues ne sont pas à l'abri de problèmes (voir General Motors qui flirtait en 2005 avec le redressement judiciaire). Cette intimité permet aussi de rester en phase avec ses clients pour mieux comprendre l'évolution de leurs besoins… Avant de disparaître, Swissair, prestigieuse compagnie aérienne, avait, parmi de nombreuses qualités, un « produit » de bon niveau et une excellente réputation. Pourtant, elle a négligé le facteur intimité-client qui lui aurait permis de comprendre l'évolution du marché, et donc d'optimiser son efficacité opérationnelle. Easyjet en a alors profité pour jouer stratégiquement cette carte-là.

Définir ses domaines d'excellence est une décision stratégique très importante qu'il faut inéluctablement prendre, idéalement de manière explicite (elle l'est trop souvent de façon implicite !). Ce choix a naturellement un impact sur le modèle économique finalement adopté et sur l'ensemble de la stratégie envisagée.

Chapitre 7

Top-modèle (économique)

Le modèle économique détermine la capacité à trouver des ressources, ainsi que la place du projet dans la chaîne de valeur

---

Les points abordés dans ce chapitre

- *La nécessité d'un modèle économique*
- *Analyse de la chaîne de valeur*
- *Choix du modèle économique*
- *Des limites indispensables*
- *Quelques principes de succès*

De la mise au point d'un modèle
économique performant

Un Arabe traverse le Sahara, à moitié mort de soif, lorsqu'il aperçoit quelque chose au loin. Espérant trouver de l'eau, il avance vers l'apparition, qui se révèle être un Bédouin assis à une table pliante, sur laquelle se trouve un étalage de cravates.

L'Arabe le supplie :

« S'il vous plaît, pourriez-vous me donner de l'eau ?

– Je n'ai pas d'eau, mais pourquoi vous n'achèteriez pas une cravate ? En voici une qui va parfaitement avec votre tenue, lui répond le Bédouin.

L'Arabe s'écrie :

« Je ne veux pas de cravate, espèce d'idiot, j'ai besoin d'eau !

– Bon d'accord, n'achetez pas de cravate, dit le Bédouin, mais pour vous prouver ma bonne volonté, je vais vous dire que de l'autre côté de cette colline là-bas, à environ quatre kilomètres, il y a un joli restaurant. Allez-y et vous aurez toute l'eau que vous désirez. »

L'Arabe le remercie et marche vers la colline, derrière laquelle il disparaît.

Trois heures plus tard, il revient à quatre pattes près du Bédouin, toujours assis à sa table. Celui-ci lui demande :

« Je vous ai dit que le restaurant était à quatre kilomètres derrière la colline, vous ne l'avez pas trouvé ?

– Si, j'y suis arrivé, mais votre frère n'a pas voulu me laisser entrer sans cravate. »

Définir un modèle économique (*business model*) n'est pas simple. Même si les consultants, les amis et les parents – autrement dit, tout le monde – emploient cette expression, nous n'avons pas réussi à en obtenir une définition unique. Celle proposée par Timmers[1] en 1998 indique :

- une architecture pour le produit, le service et les flux d'information, comprenant une description des divers intervenants et de leurs rôles ;
- une description des avantages potentiels retirés par chacun des intervenants ;
- une description des sources de revenus.

Pour simplifier, nous préférons dire que le modèle économique correspond aux paramètres d'une activité donnée ayant pour objectif d'assurer l'obtention des ressources nécessaires pour satisfaire ses parties prenantes. Cela signifie que n'importe quelle activité doit pour survivre :

- obtenir et organiser ses ressources (financières, humaines, matérielles, de sous-traitance, etc.) ;
- convaincre le public cible que la valeur obtenue justifie le prix qu'il devra consentir à payer pour en profiter ;
- fournir la valeur en question.

Le meilleur modèle économique est celui qui utilise le minimum de ressources pour fournir la valeur la plus élevée perçue par le public cible. Les ressources peuvent être exprimées en termes monétaires ou avec d'autres indicateurs.

La nécessité d'un modèle économique

Les innovations nécessitent un modèle économique. Pour assurer leur pérennité, elles doivent aborder la question de l'obtention des ressources nécessaires à leur mise en œuvre (argent ou temps). Les

---

1. www.tbm.tudelft.nl/webstaf/harryb/keen/tsld016.htm.

ressources financières peuvent provenir de la marge bénéficiaire dégagée lors de la vente du produit, d'un financement (alloué par des investisseurs, les autorités, etc.) ou encore de subventions.

Dans le secteur privé, dégager des profits est une nécessité absolue car c'est le moyen d'obtenir les ressources nécessaires pour financer la croissance, payer les frais généraux ou acquérir des biens de production. Le bénéfice comptable apparaît comme la manière la plus évidente et la plus simple de mesurer l'efficacité d'un modèle économique. Le problème est qu'il ne tient pas compte d'autres dimensions comme l'environnement ou le niveau de satisfaction des parties prenantes.

Les secteurs public, associatif et non-lucratif doivent également adopter un modèle économique. L'expression peut sembler inadaptée, dans la mesure où le profit n'est pas leur objectif, contrairement au secteur privé. Néanmoins, tous fonctionnent de la même manière, car un but non lucratif correspond en réalité à un bénéfice nul. Toutes les organisations, y compris celles qui sont seulement des centres de coût, fonctionnent avec un modèle économique : la source des ressources peut être le budget de l'État ou d'autres parties prenantes. Puisque les secteurs public et non-lucratif sont censés produire un résultat, ils devraient également s'efforcer d'optimiser le rapport ressources/résultat. C'est l'essence même du modèle économique.

Analyse de la chaîne de valeur

La compréhension de la chaîne de valeur est aussi indispensable avant d'exploiter une opportunité. Elle fournit de nombreuses informations, tant pour les secteurs public que privé, sur l'interaction des différentes composantes du modèle économique.

À l'exception des grandes organisations, il est rare qu'une entité puisse maîtriser toutes les composantes de la chaîne de valeur. Quelques maillons de cette chaîne peuvent être sous-traités, tandis que d'autres seront pris en charge en interne. La question clé est de savoir de quelle partie de la chaîne de valeur assumer la responsabilité. Être responsable n'empêche pas de s'approvisionner à l'extérieur, cela signifie simplement être garant envers le client du produit final, indépendamment de la manière dont il a été fabriqué et du lieu de sa production. Une bonne maîtrise de la chaîne de valeur devrait au moins conduire à déterminer :

- les ressources nécessaires pour chacune des composantes de la chaîne de valeur ;
- les composantes de la chaîne de valeur qui contribuent le plus à l'augmentation de la valeur ajoutée perçue ;
- les entités qui sont les mieux qualifiées pour prendre en charge chaque maillon de la chaîne de valeur ;
- les synergies qui existent entre les composantes de la chaîne de valeur ;
- les composantes de la chaîne de valeur qui sont (ou peuvent devenir) des obstacles pour soi ou pour ses concurrents.

Choix du modèle économique

Il est essentiel de décider quelle partie de la chaîne de valeur prendre en charge et comment on souhaite être rémunéré (ou quelle partie de la chaîne de valeur va permettre d'obtenir des ressources). Ce choix aura des incidences significatives sur la survie à long terme du projet. Le taux d'échec des *dotcoms*[1] en est un bon exemple. Nombre d'entre elles avaient supposé, à tort, que vendre de l'espace publicitaire sur Internet pour atteindre les millions d'internautes (ceux qui visitent les sites gratuits fournissant des prestations) justifierait les coûts de développement et de commercialisation de leurs services. Cela n'a fonctionné que pour celles qui ont atteint une taille critique (Google, Yahoo, etc.).

Aucune recette miracle n'existe, et de nombreux modèles économiques sont possibles. Des livres entiers ont été et seront écrits sur les

---

1. Entreprises nées des nouvelles technologies de l'information et des communications.

modèles économiques. En voici quelques exemples intéressants, illustrant le fait qu'il y a plusieurs façons de saisir des opportunités. Le choix est souvent fonction des ressources et des talents disponibles :

- **la licence d'exploitation** : ce modèle économique a très bien fonctionné pour l'inventeur de la carte à puce (*smartcard*), Roland Moreno. Il a choisi de donner des licences sur sa technologie à différents partenaires pour pénétrer massivement le marché plutôt que d'assurer lui-même la production ;

- **la franchise** : le succès de McDonald's confirme, si besoin est, les avantages de ce modèle. Benetton est un autre exemple démontrant l'intérêt de cette stratégie pour s'installer rapidement sur un marché avec des ressources insuffisantes pour posséder ses propres magasins ;

- *fabless*[1] : sous-traiter la production de ce qui n'exige pas des compétences uniques, ou de ce qui n'est pas critique dans la chaîne de valeur, est une option très tentante. Elle permet en effet d'éviter de posséder sa propre unité de production, surtout lorsqu'ailleurs les coûts de production sont nettement meilleur marché. Les marques d'habillement sous-traitent de plus en plus la fabrication de leurs produits ;

- **les produits gratuits** : cette stratégie consiste à donner gratuitement certains produits pour générer ensuite des revenus grâce à des compléments. Prenons le cas du logiciel Flash® de Macromedia, mis gratuitement à disposition des internautes et devenu ainsi un « incontournable » de l'animation sur Internet. En réalité, Macromedia gagne de l'argent en vendant le logiciel de programmation servant à créer les animations Flash® ;

- **l'utilisateur captif** : les revenus ne sont pas générés en vendant l'équipement, mais le service ou les fournitures qu'il requiert. C'est le cas des imprimantes à jet d'encre : les consommateurs peuvent les obtenir à un prix dérisoire, mais ils doivent acheter des cartouches dont le coût peut être considéré comme exorbitant. Pour les photoco-

---

1. *Fabless* est une expression anglaise désignant un modèle économique sans unité de production dans lequel toute la production est sous-traitée.

pieurs, c'est en assurant leur maintenance que les fournisseurs gagnent le mieux leur vie ;

- **la vente en réseau par cooptation** : ce modèle pourrait également s'appeler l'« appât du gain », puisqu'en offrant une récompense financière aux utilisateurs qui attirent leurs amis et leurs connaissances, il conduit à une pénétration efficace et rapide du marché. Quelques entreprises sérieuses comme Tupperware l'ont employé avec succès, tandis que d'autres n'ont cherché qu'à profiter de la naïveté des gens, ce qui a parfois donné à ce modèle une mauvaise réputation ;

- **le droit d'utilisation en temps partagé** : ce concept consiste à répartir la durée de location à long terme d'un bien sur de nombreux « locataires ». Ces derniers ont l'impression qu'ils possèdent réellement la propriété, alors qu'ils ne peuvent en réalité l'occuper que durant des périodes fixes limitées. Grâce à ce modèle, chaque semaine d'occupation est facturée à un prix substantiellement plus élevé que le coût annuel rapporté au nombre de semaines.

Cette liste pourrait s'allonger considérablement, du fait notamment qu'il existe une vaste gamme de variations pour chaque modèle. Notre objectif n'est donc pas d'être exhaustif, mais de montrer que des options très différentes existent.

Le choix d'un modèle économique inapproprié est une cause classique d'échec. La même opportunité peut réussir avec un modèle et échouer avec un autre. Là encore, une très bonne connaissance des clients et du marché (familiarité) est un des secrets du succès.

L'approche anthropologique[1] **peut certainement contribuer à une meilleure compréhension de la situation.** Elle n'est malheureusement pas suffisante, l'expérience et l'intuition jouant aussi un rôle important. Durant la phase de réflexion sur les modèles économiques, il est recommandé de se faire conseiller par des personnes expérimentées et qualifiées (la collecte de conseils bon marché auprès de la famille et des

---

1. Voir chapitre 1.

amis ne suffit généralement pas pour réussir !). L'inventeur et l'innovateur sont par ailleurs souvent piégés par leur propre génie : du fait qu'ils ont découvert quelque chose, ils tendent à croire qu'ils sauront trouver la solution à n'importe quel problème.

Le choix d'un modèle économique nécessite de poser certaines hypothèses. Or très souvent, la validité de ces hypothèses ne peut être vérifiée avant la mise en œuvre du modèle : il est donc recommandé de tester les modèles économiques. Quoi qu'il en soit, il faut de toute façon se tenir toujours prêt à adapter ou à modifier le modèle retenu, ou même à explorer des voies alternatives. Si une entreprise avec une culture aussi forte qu'IBM a réussi à adapter son modèle économique lors du lancement de l'ordinateur personnel, tout le monde peut faire l'effort de trouver un modèle économique adapté.

Certaines entreprises exploitent différents modèles économiques en parallèle. Ainsi, les journaux et les magazines génèrent des revenus provenant de différentes sources : abonnement, vente du journal au détail, location d'espace publicitaire aux annonceurs, etc. Chacune de ces sources impose des conditions spécifiques (les abonnés exigent un contenu de haute qualité ; les annonceurs un lectorat important, etc.). Or il arrive qu'elles soient conflictuelles : l'éditeur est alors amené à effectuer un arbitrage qui ne serait pas nécessaire si seul un modèle économique était exploité. On comprend ainsi que l'indépendance rédactionnelle des journaux gratuits n'est pas la même que celle de la presse payante.

Un exemple d'activité du secteur public qui n'a pas optimalisé son modèle économique est le service postal : sa lenteur n'a pas satisfait les besoins de tous ses clients. Cette faiblesse du modèle économique a créé une belle opportunité pour les services privés de messagerie, qui gagnent beaucoup d'argent, alors que la plupart des services postaux sont déficitaires. Cela prouve que dans un environnement constamment en mouvement, même les administrations publiques devraient périodiquement remettre en question leur mission et la pertinence de leur modèle économique.

Le choix du modèle économique conduit à saisir ou à abandonner l'opportunité. Il est donc essentiel, après une analyse complète du marché, d'explorer toutes les options possibles et de les analyser soigneusement, afin de choisir le modèle approprié[1] (sans ignorer les vraies contraintes[2]).

Le modèle économique de Nespresso Classic

Le modèle économique actuel de Nespresso s'appuie sur les caractéristiques suivantes (qui contribuent d'ailleurs à son originalité et à son leadership sur le marché) :

- intégration, sous une même marque, du café prédosé dans des capsules et de la machine seule capable de fonctionner avec ces capsules ;

- maîtrise de toute la chaîne de valeur du café, depuis l'achat des grains jusqu'à l'expédition au consommateur ;

- maîtrise de toute la chaîne de valeur des machines, à l'exception de la fabrication et de la distribution des machines qui sont sous-traitées (le service après-vente des machines ainsi que leur marketing restent néanmoins assurés par Nespresso) ;

- adhésion automatique des acquéreurs de machines au Club Nespresso ;

- vente directe des capsules par le biais du Club Nespresso (source principale de revenus) ;

- personnalisation poussée de la relation grâce à la gestion des informations obtenues lors de l'interaction avec le Club Nespresso, afin de développer l'intimité-client ;

- vente de produits dérivés (source de revenus accessoire).

---

1. Pour d'autres exemples de modèles économiques, visiter le site www.steverrobbins.com/articles/bizmodel.htm (en anglais).
2. Voir chapitre 5.

Des limites indispensables

N'importe quel projet doit être limité dans son envergure. À défaut d'un cadre bien défini, le porteur de projet risque de courir plusieurs lièvres à la fois et d'épuiser inutilement ses ressources. Pour rester focalisé sur son objectif, il doit définir dès le départ les frontières de son projet, notamment :

• les limites géographiques ;

• les segments de marché sur lesquels il choisit de se concentrer ;

• le public cible ;

• les délais pour réaliser ses objectifs ;

• les besoins à satisfaire ;

• la technologie adoptée, si besoin est.

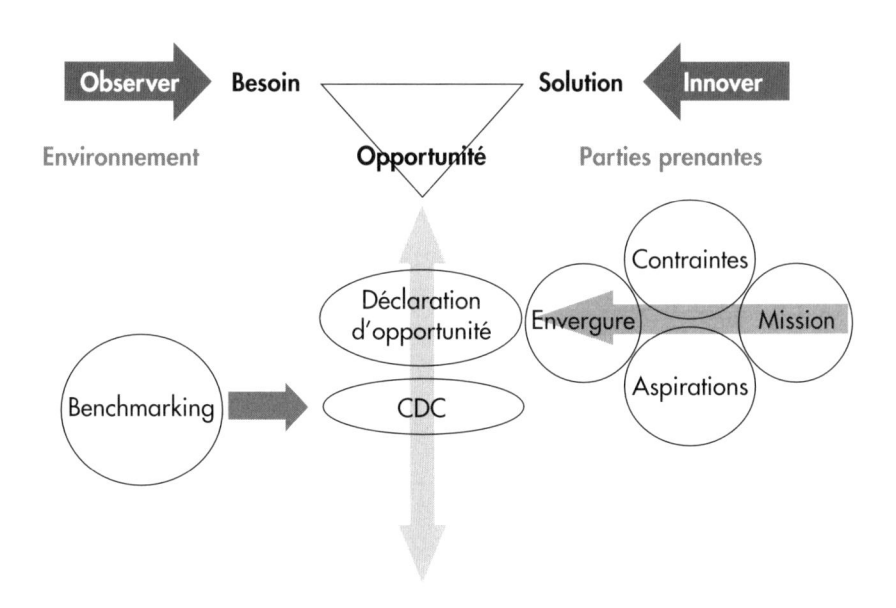

***Figure 9** : L'envergure définit les limites du projet*

L'envergure d'un projet doit être clairement définie pour chaque modèle économique retenu. Le rayon d'action d'un détaillant qui vend en ligne est différent de celui d'un magasin limité par son emplacement géographique. La plupart des magasins *duty free* dans les aéroports ne vendent que des marchandises facilement transportables, pour que les voyageurs, clients captifs, puissent les emporter dans leurs bagages à main. En revanche, les magasins *duty free* de Tel Aviv vendent des réfrigérateurs et d'autres biens d'équipement aux voyageurs en partance, qui peuvent retirer, à leur retour en Israël, la marchandise achetée hors taxe au moment du départ. C'est un autre exemple d'innovation astucieuse pour augmenter le chiffre d'affaires…

Envergure de Nespresso Classic

L'envergure de Nespresso se traduit ainsi :

- **zone géographique :** mondiale, avec une introduction progressive par marché ;
- **taille du marché :** 200 millions de machines, capables chacune de produire 720 tasses par an ;
- **public cible :** ménages équipés d'une machine à café.

Quelques principes de succès

Le respect de certains principes peut faciliter le choix d'un modèle économique. Même si le bonheur n'est pas assuré, la prise en compte de ces principes augmente généralement les probabilités de succès.

Le but principal doit être la rentabilité et non l'accroissement des parts de marché ou du volume, tant pour les secteurs public et non-lucratif que pour le secteur privé. Cela semble être une évidence, toutefois la bulle Internet a prouvé que certains porteurs de projet, et plus tris-

tement les consultants qui les ont conseillés, n'en avaient fait aucun cas. Mieux vaut donc construire une chaîne de valeur spécifique, destinée à un segment identifié du marché[1] et difficile à copier.

La valeur ajoutée doit être réelle et communicable. Il est en effet ardu de réaliser des ventes et des bénéfices à partir d'avantages qui ne peuvent être communiqués…

Les avantages concurrentiels sont, par définition, plus intéressants que les pratiques d'excellence. Les pratiques d'excellence sont la meilleure manière de faire quelque chose pour tous ceux qui en ont les moyens. Elles ne sont pas suffisantes pour assurer le succès d'une opération. En revanche, le fait de proposer un certain concept, lui-même protégé par la propriété intellectuelle, est un avantage concurrentiel : il ne s'agit pas d'une pratique d'excellence puisque tout le monde n'y a pas accès. Cela le deviendra le jour où, n'étant plus protégé par un brevet, le concept sera accessible à d'autres acteurs du marché. Le freinage ABS était ainsi un avantage concurrentiel pour les premiers constructeurs qui l'ont introduit. Aujourd'hui, étant à la portée de tous, il fait partie des pratiques d'excellence.

Les stratégies de *me too* sont également insuffisantes. Comme elles ne consistent qu'à copier ou à s'aligner sur les pratiques d'autres acteurs, elles peuvent seulement être employées comme stratégie défensive pour rester dans la course, et en aucun cas comme un moyen de devenir le maître du jeu.

Les stratégies robustes exigent de faire des choix, et de renoncer ainsi à certaines options que d'autres pourraient retenir. La possibilité de faire les choses d'une autre manière permet de se différencier de ses concurrents. En l'absence de différence (ce qui tendrait à signifier qu'il n'y a pas d'alternative), on se retrouve en mode « pratique d'excellence ». Saisir une opportunité a un coût, dès lors que ce choix empêche d'en saisir d'autres.

---

1. Voir chapitre 8.

Les ressources financières et humaines doivent être disponibles au moment opportun. Si les ressources nécessaires pour concrétiser un modèle économique ne peuvent être réunies, il faut en choisir un autre. Celui-là devra pouvoir être réalisé avec les ressources effectivement disponibles. Il est inutile de se bercer d'illusions, en espérant que des ressources complémentaires tomberont miraculeusement du ciel.

Chapitre 8

Histoire d'ECU[1]

Les points abordés dans ce chapitre

- ■ *La raison irrésistible d'achat*
- ■ *La déclaration d'ECU*
- ■ *L'elevator pitch*

---

1. Expérience client unique.

De l'art de rendre une proposition irrésistible

Un homme qui bégaye fortement se présente pour un poste de vendeur de bibles en porte-à-porte. Le directeur, pensant que l'homme n'arrivera jamais à vendre quoi que ce soit, est sur le point de lui dire de chercher un autre travail, quand l'homme le supplie : « S-s-s-s-s-s'il v-v-v-vous p-p-p-plaît, d-d-d-onnez-m-moi une chan-chan-chance. Je p-p-peux l-l-le f-f-faire. »

Le directeur lui donne alors quelques bibles en lui disant qu'il peut passer le restant de la journée à essayer de les vendre. À midi, le bègue est de retour, il a tout vendu. Impressionné, le directeur lui demande s'il peut l'accompagner durant l'après-midi pour comprendre son succès.

« B-b-b-bien s-s-sûr », répond le bègue. Les deux hommes se mettent en route.

Ils s'approchent d'une maison et le bègue frappe à la porte. Lorsque la propriétaire ouvre, l'homme dit : « B-b-b-b-bonjour m-m-m-m-madame. J-j-je v-v-v-vends d-d-des b-b-b-ibles. V-v-v-voudriez-vous en ach-ch-cheter u-u-une où v-v-v-voulez-vous qu-qu-que j-j-je v-v-v-ous la-la-la lise ? »

Pour avoir du succès, il ne suffit pas d'avoir un modèle économique parfait, il faut aussi convaincre les clients (internes ou externes) d'acheter. Pour cela, il faut s'assurer que la valeur proposée est perçue comme supérieure et exceptionnelle[1]. Cela se traduit pour le client par cette simple équation :

**Avantages exceptionnels perçus > Coût à supporter
sans ces avantages**

Dans cette équation, les concepts d'avantages et de coût incluent les facteurs intangibles et émotionnels. Le mot *exceptionnels* exprime la capacité de « distancer » n'importe quel concurrent, même sur son propre territoire. Une « assez bonne » performance n'est certainement pas suffisante. Il s'agit d'exploiter les avantages spécifiques de l'entreprise[2] pour proposer au client une raison irrésistible d'achat.

La raison irrésistible d'achat

Identifier une raison irrésistible d'achat exige une très bonne compréhension des besoins et de la psychologie des clients. Elle doit essentiellement satisfaire le ou les besoins exprimés dans la déclaration d'opportunité.

Attention, ce n'est pas ce que nous pensons être irrésistible qui compte, mais ce que les clients perçoivent comme irrésistible. La projection de nos propres croyances et perceptions est une erreur classique qui peut s'avérer coûteuse.

Quelques raisons irrésistibles d'achat résultent de la qualité du produit ou du niveau de pénétration du marché. Le système d'exploitation Microsoft Windows® est en soi une raison irrésistible d'achat pour les possesseurs de PC, dans la mesure où il apporte une compatibilité optimale avec les documents des autres utilisateurs. Chaque nouvelle

---

1. VPSE (valeur perçue supérieure et exceptionelle).
2. ASE (*Firm Specific Advantages*).

version de ce système d'exploitation fait que l'utilisateur se sent « contraint » de mettre à jour son ordinateur. La stratégie Wintel (selon laquelle les nouvelles versions de Microsoft Windows® exigent plus de puissance de calcul) est une raison irrésistible qui incite les utilisateurs à remplacer leur processeur (ou leur ordinateur).

Les normes officielles peuvent aussi être des raisons irrésistibles d'achat (la norme ISO 9 000 par exemple). Les règlements officiels en créent aussi parfois, tandis que certaines entreprises (comme Adobe) parviennent à faire de leur produit un standard *de facto* (le format des fichiers PDF).

Une manière efficace d'augmenter le degré d'« irrésistibilité » consiste à convaincre les prescripteurs, afin qu'ils incitent leurs clients à acheter le produit en question. Les prescripteurs sont les personnes et les organismes qui recommandent ou imposent l'utilisation de certains produits. Ils sont crédibles et font autorité. Les médecins sont ainsi des prescripteurs pour les médicaments, et les architectes pour les matériaux de construction.

C'est encore grâce à l'intimité-client, complétée par l'observation sur le terrain, que l'on peut parvenir à identifier les prescripteurs. Les détaillants, les sites web spécialisés, les vendeurs et les associations de consommateurs sont d'autres exemples de prescripteurs. Comme l'explique Malcolm Gladwell[1], on distingue parmi les prescripteurs les *mavens*[2] des connecteurs. Les *mavens* sont ceux qui savent, c'est-à-dire les sages : ceux que les gens écoutent, dont le conseil est désintéressé et qui ne sont pas à la solde de fournisseurs, ou bien ceux qui sont assez charismatiques pour faire passer un message de manière crédible. Ils émettent des recommandations sur les restaurants, les appareils électroniques, les films, etc. Les connecteurs sont des personnes très sociables, disposant d'un réseau de contacts important et qui diffusent les recommandations

---

1. Gladwell M., *Le point de bascule : comment faire une grande différence avec de très petites choses*, Transcontinental, 2003.
2. *Maven* : du yiddish signifiant « qui accumule le savoir ».

des *mavens* auprès d'un public beaucoup plus large. Les *mavens* et les connecteurs ne sont pas nécessairement connus de ceux qu'ils influencent, car ils ne sont pas forcément en première ligne. Même si c'est difficile, cela vaut la peine d'essayer d'« influencer » les prescripteurs, d'où l'intérêt de les avoir préalablement identifiés.

L'opportunité donne-t-elle une possibilité unique, durable et irrésistible d'obtenir l'argent des clients ou de modifier leurs convictions[1] – d'une manière honorable et éthique – en échange de la prestation proposée ? Voilà la question à se poser pour vérifier qu'une raison irrésistible d'achat est présente. C'est à la lumière de la réponse obtenue que chaque entrepreneur devrait évaluer son opportunité. Si elle n'est pas positive sur tous les plans, les chances de succès sont réduites d'autant. En revanche, si c'est un « oui » inconditionnel, le porteur de projet peut alors passer à l'étape suivante : la description de l'expérience client unique.

La déclaration d'ECU

La déclaration d'expérience client unique (ECU) précise ce qui rend notre offre unique dans la perspective du client. Nous posons ainsi par écrit les composantes clés de notre modèle économique, ainsi que la raison irrésistible d'achat.

Les règles pour la rédaction de la déclaration d'ECU sont simples. Elle doit être :

- **explicite** : elle doit décrire la solution proposée pour que n'importe quelle personne ciblée puisse la comprendre, en évitant le jargon et les mots vides de sens et donc peu crédibles ;

- **suffisamment convaincante** : elle doit démontrer l'irrésistibilité de l'offre, autrement dit s'assurer que les besoins exprimés dans la déclaration d'opportunité sont réellement satisfaits ;

---

1. Pour surmonter certaines résistances (par exemple la résistance au micro-ondes).

- **unique** : personne d'autre ne devrait pouvoir se prévaloir de la même déclaration d'ECU ;
- **concise** : elle doit tenir en une ou deux phrases, sans répétition ni verbiage.

Une bonne ECU devrait aussi être :
- **durable** (pour assurer la pérennité du projet) ;
- **difficile à copier** (pour se protéger de la concurrence) ;
- **facile à percevoir** (donc facilement communicable).

La déclaration d'ECU n'est pas un slogan de vente. Elle entend simplement expliciter la nature de la solution et sa contribution à la satisfaction du client. La manière de communiquer le message est une autre histoire, dont les spécialistes du marketing s'occuperont le moment venu. À ce stade, nous n'en sommes pas à « emballer » l'information à des fins commerciales. Il s'agit simplement de s'assurer que la solution est convaincante.

La déclaration d'ECU se distingue de la proposition de vente unique (USP[1]). Celle-ci, abondamment citée dans la littérature, notamment nord-américaine, se focalise en effet sur ce que le vendeur veut que le client achète, alors que l'ECU met l'accent sur le vécu du client et sur les bénéfices qu'il retire de son acquisition. Le regard de l'ECU nous paraît préférable, dans la mesure où cette déclaration positionne le client au centre de la réflexion.

« Je recommande … (produit ou service), parce que c'est le seul qui… », pourrait être le début de la déclaration d'ECU. Les clients devraient pouvoir s'exprimer ainsi après avoir adopté le produit ou le service concerné. D'autres formulations sont possibles, mais celle-ci va à l'essentiel.

---

1. *Unique Selling Proposition.*

Rédiger la déclaration d'ECU empêche l'entrepreneur de se leurrer et d'essayer, même involontairement, de séduire les autres. Les écrits laissent une trace : il est beaucoup plus difficile de mentir par écrit qu'oralement.

La rédaction d'une expérience client unique n'est pas aussi facile qu'il y paraît. L'expérience montre que, comme pour la déclaration d'opportunité, les porteurs de projet ont du mal à expliciter leur pensée. Nous recommandons de commencer par identifier les mots clés qui devraient faire partie de la déclaration d'ECU, pour ensuite les synthétiser en une ou deux phrases. Le travail de groupe donne généralement de meilleurs résultats que la réflexion solitaire.

La déclaration d'ECU permet notamment aux décideurs de se faire rapidement une idée du potentiel de l'opportunité. Ils peuvent même le faire sans rencontrer l'instigateur du projet, puisque la solution est consignée par écrit. Comparer la déclaration d'ECU à la déclaration d'opportunité conduit à savoir rapidement si :

- l'opportunité vaut la peine d'être exploitée avec cette ECU ;
- l'entrepreneur a vérifié qu'il avait réellement trouvé un « filon » ;
- l'ECU est suffisamment unique et satisfait des besoins réels.

Le plus difficile est de s'assurer que son ECU est réellement unique. Une fois l'ECU rédigée, soumettons-la aux assauts des pessimistes (si possible des personnes connaissant parfaitement le domaine concerné). Ce « *crash test* » consiste à leur demander d'identifier, sans complaisance aucune, toutes les objections que les clients pourraient soulever, une fois exposés à cette ECU. Ils doivent néanmoins garder à l'esprit que les clients en question ignorent tout de la réflexion à laquelle nous nous sommes livrés. Il est bon aussi de leur préciser les règles et les qualités indiquées ci-dessus (unicité, durabilité, etc.), pour qu'ils puissent vérifier leur application. Cet exercice de l'« avocat du diable » peut s'avérer divertissant, davantage pour les « avocats » que pour ceux qui ont rédigé la déclaration d'ECU… bien que ce soient à eux, en fait, que le crime profite. Cette technique les force à améliorer leur ECU ou à réaliser qu'elle n'est pas assez convaincante, leur évitant ainsi de persévérer dans un projet faible.

La déclaration d'ECU finalement adoptée doit être comprise – et intériorisée – par tous les membres de l'équipe travaillant sur l'opportunité. Il est en effet important de s'assurer que tout le monde connaît clairement les enjeux du projet.

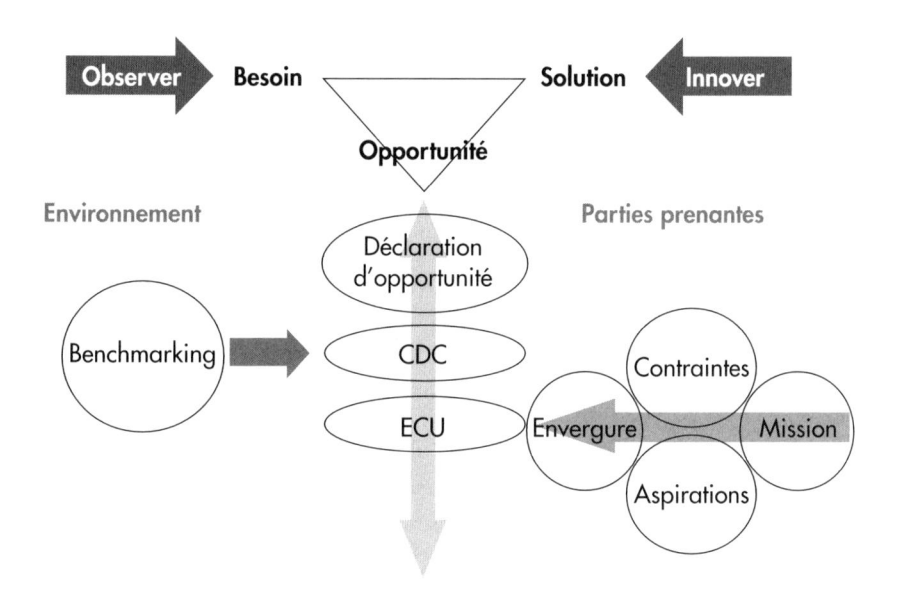

Figure 10 : *La déclaration d'ECU exprime la raison irrésistible d'achat matérialisée dans la solution et son modèle économique*

La déclaration d'ECU pour Nespresso Classic

« *Je recommande le procédé* Nespresso, *car c'est le seul* système qui garantisse aux connaisseurs de café une expérience combinant le plaisir, la simplicité et l'esthétique, grâce à la préparation en quelques secondes et de manière très conviviale, à l'aide d'une belle machine peu encombrante et à un coût acceptable, de cafés dont la qualité est garantie et dont le goût ainsi que la teneur en caféine sont choisis en fonction de l'envie du moment parmi une grande sélection de capsules, que l'on peut acquérir sans intermédiaire 24 h sur 24 h auprès du Club Nespresso. »

L'*elevator pitch*

Elevator pitch **pourrait se traduire par « discours d'ascenseur » : c'est une présentation suffisamment courte pour durer le temps d'un trajet d'ascenseur.** Ce concept est plus simple à utiliser aux États-Unis qu'en Europe, compte tenu de la hauteur des buildings… La « cible » de ce discours peut être un investisseur, un client potentiel ou n'importe quelle personne susceptible de contribuer au succès de notre projet. Il faut donc pouvoir lui expliquer notre ECU avec assez de conviction pour qu'il ait envie d'en savoir davantage (et qu'il sollicite un rendez-vous afin de prolonger la discussion).

Il est recommandé de rédiger son *elevator pitch* dès que la déclaration d'ECU est faite. Le discours d'ascenseur est la version « facile à communiquer » de la déclaration d'ECU. Il doit être percutant et accrocheur.

Il est très rare de trouver un innovateur capable d'expliquer son projet en moins d'une minute. Les innovateurs se lancent généralement dans de longues explications décrivant les caractéristiques de leur projet, au lieu de se concentrer sur ses avantages les plus accrocheurs. Ils ont tendance à s'exprimer en fonction de leurs propres centres d'intérêt et préoccupations, au lieu de s'adapter à leur public. Le discours d'ascenseur force l'entrepreneur à adapter la présentation à sa cible.

Si l'*elevator pitch* n'est pas assez convaincant, cela peut signifier que l'ECU n'est pas facile à communiquer. Ce peut être un obstacle sur le chemin du succès. La lente pénétration de la VoIP[1] illustre bien

---

1. *Voice over IP*, communication vocale par Internet.

l'impact d'une offre difficile à « faire passer ». La VoIP est la technologie de transmission de la voix *via* Internet sans passer par les lignes téléphoniques ni les centraux traditionnels. Cette technologie existe depuis plusieurs années, mais elle n'a commencé à entrer dans les mœurs qu'en 2004. Ses avantages n'étaient pas facilement transmissibles, ce qui a certainement ralenti sa pénétration sur le marché, même si ce n'est pas le seul facteur en jeu. C'est l'avènement de Skype qui l'a popularisée, avec une raison irrésistible d'achat : la gratuité des communications.

Elevator pitch pour Nespresso Classic

Nespresso a réinventé la préparation de l'*expresso* en permettant aux connaisseurs de café de déguster à domicile, sans effort ni savoir-faire, une variété d'*expressos* qualitativement aussi bons que ceux préparés par des professionnels.

Chapitre 9

Time to Kiss

Pour réussir, il faut mesurer !

Les points abordés dans ce chapitre

- *Les indicateurs de succès*
- *Se donner un horizon*
- *Se fixer des objectifs*
- *La définition du succès est un contrat*
- *Les terminators d'opportunité*

De l'utilité des outils de mesure

Un berger surveille ses moutons sur une colline déserte, à laquelle on accède par une route étroite. Soudain, une Porsche® toute neuve s'arrête à côté de lui. Le conducteur, un jeune homme portant un costume Armani, des lunettes Ray-Ban, une montre Tag-Heuer, des chaussures Cerutti et une cravate Boss, sort de la voiture et lui dit : « Si je peux vous dire combien de bêtes vous avez, vous m'en offrez une ? »

Le berger regarde le nouveau venu, puis son immense troupeau et acquiesce. Le jeune homme gare sa voiture, branche son portable, scanne le sol avec son GPS, ouvre une base de données, consulte soixante fichiers Excel et imprime un rapport de cent cinquante pages sur son imprimante miniature haute technologie.

Puis, il dit au berger :

« Vous avez exactement 786 bêtes.

– C'est juste, répond le berger, vous pouvez choisir un mouton. »

Le jeune prend une bête et la met à l'arrière de sa Porsche®. Le berger le regarde et lui demande :

« Si je devine quel métier vous faites, me rendrez-vous l'animal ?

– D'accord, répond le jeune homme.
– Vous êtes conseiller d'entreprise, dit le berger.
– Comment avez-vous deviné ? s'exclame le jeune homme, étonné.
– C'est simple, répond le berger, premièrement, vous vous êtes imposé ici. Deuxièmement, vous m'avez fait payer pour me donner une information que je possédais déjà. Troisièmement, vous ne connaissez rien à mon métier. Maintenant pouvez-vous s'il vous plaît me rendre mon chien ? »

Le repos de l'entrepreneur n'existe pas. Si l'accouchement de la déclaration d'ECU est douloureux, l'étape suivante l'est malheureusement encore plus. Nous savons de quelle manière nous pensons satisfaire la clientèle ciblée. Nous devons maintenant traduire ce « vœu pieux » en objectifs concrets et mesurables : en d'autres termes, expliciter notre définition du succès.

Le succès n'est visible que s'il est mesuré et donc mesurable. La meilleure manière de prouver sa réussite est de comparer les résultats obtenus aux objectifs préalablement fixés, d'où la nécessité d'objectifs mesurables. Par ailleurs, ce qui est mesuré peut être surveillé, et ce qui peut être surveillé a une meilleure probabilité d'être concrétisé, car nous y prêtons beaucoup plus d'attention. Le simple fait de comptabiliser le nombre de réclamations conduit en général à leur diminution, car les chiffres incitent à se préoccuper davantage de la satisfaction de ses clients. De même, l'adjonction d'indicateurs mesurant la capacité d'innovation dans les formulaires d'évaluation périodique des collaborateurs a généralement pour effet de stimuler leur comportement entrepreneurial.

Le pilotage d'un projet exige aussi des instruments de surveillance. Ceux-ci représentent le moyen de déterminer le degré d'avancement de l'opération et de s'assurer que l'on est toujours sur la bonne voie. Se lancer dans un projet sans mettre en place les outils de surveillance appropriés revient à prendre un avion dépourvu d'instruments de bord : qui pourrait se sentir en sécurité dans de telles conditions ?

Les indicateurs de succès

Il faut choisir les indicateurs de succès (KISS[1]) adaptés à la mesure de sa réussite. Est-ce le chiffre d'affaires ? Le bénéfice ? La part de marché ? Le leadership technologique ? La visibilité de la marque ? Le taux de satisfaction des clients ? Le nombre de brevets déposés ? Nous pourrions continuer longtemps cette liste, car les éléments pouvant être

---

1. *Key Indicators of Success.*

mesurés sont nombreux… Notons aussi que les KISS ne se limitent pas au domaine financier.

La première difficulté consiste à choisir des KISS qui puissent être mesurés et surveillés avec les ressources disponibles. L'interprétation correcte de ce qui est mesuré est ensuite essentielle. Cette mesure n'a nul besoin d'être extrêmement précise. Les données obtenues doivent simplement être assez significatives pour pouvoir se faire une idée de la situation. La mesure de la satisfaction des clients est, par exemple, toujours approximative. Une manière simple de l'estimer pourrait être de demander directement aux clients s'ils sont disposés à recommander le produit ou le service à leurs amis. L'absence d'indicateurs est un mauvais signe, puisqu'elle témoigne d'un manque de focalisation sur des résultats concrets.

La deuxième difficulté est de minimiser le nombre de KISS. Sans parler de l'effort requis pour les mesurer régulièrement, plus les KISS seront nombreux, moins les personnes les consulteront et plus grande sera la probabilité d'avoir des doublons. C'est le cas du chiffre d'affaires et de la part de marché, qui font fondamentalement double emploi, dans la mesure où ils ont recours au même indicateur (les ventes). Il est donc primordial de se concentrer sur les points clés. Trois à cinq KISS suffisent généralement, pour chaque opportunité, à mesurer son succès.

Hiérarchiser les KISS selon leur importance relative est une étape nécessaire. Ce simple exercice représente une ultime opportunité de vérifier si les KISS en bas de liste sont vraiment indispensables.

Les KISS de Nespresso Classic

- Profit
- Chiffre d'affaires
- Taux de satisfaction des consommateurs
- Notoriété de la marque

Avant d'adopter définitivement les KISS retenus, il convient de vérifier qu'ils mesurent réellement ce qui compte, c'est-à-dire les **aspirations des parties prenantes.** Pour des capital-risqueurs dont l'aspiration est de gagner de l'argent, il faudra voir, en surveillant le profit, dans quelle mesure ils seront satisfaits.

Tous les *drivers*[1] devraient être mesurés par les KISS sélectionnés : les efforts doivent être concentrés sur les aspirations que les parties prenantes veulent maximiser. Cela ne signifie pas qu'il faille négliger les *satisfiers* ; au contraire, certains peuvent même être critiques tant que leur seuil n'a pas été atteint. Il est recommandé de trouver pour eux les KISS appropriés, du moins jusqu'à ce que le niveau requis soit atteint.

Certaines aspirations sont difficiles à mesurer objectivement. Dans ce cas, il est indispensable de faire preuve de créativité pour trouver une manière de les évaluer. Mieux vaut disposer d'une approximation indirecte que d'aucune mesure. Il peut parfois être difficile de mesurer la qualité d'un service, si ce n'est indirectement, en enregistrant le nombre de réclamations !

Se donner un horizon

Après avoir sélectionné nos KISS, nous devons définir un délai de réalisation, une sorte d'« horizon-temps » pour le projet. S'il est trop court, nous n'aurons pas le temps de démontrer le potentiel de l'opportunité. Au contraire s'il est trop long, nous risquons de « tirer inutilement des plans sur la comète », alors que les circonstances vont très vraisemblablement évoluer. Une manière de procéder consiste à prendre en compte certaines étapes clés : mise au point du prototype, date de lancement, point mort, acceptation par le marché, leadership du marché, etc.

Le choix des jalons significatifs pour le projet envisagé est déterminé par la nature du projet ou du secteur économique concerné. Les

---

1. Voir le chapitre 5.

périodes délimitées par les jalons se mesurent en semaines, en mois ou en années. L'essentiel est de se projeter dans l'avenir, pour savoir à quel moment il sera opportun de faire le point sur la situation. Pour une start-up, les étapes importantes pourraient se décliner ainsi :

- industrialisation du prototype ;
- date de lancement ;
- 1 an après le lancement ;
- 3 ou 4 ans après le lancement (dans certains secteurs en forte évolution, une échéance de 4 ans est parfois même excessive).

La sélection des jalons doit surtout tenir compte de l'horizon-temps des parties prenantes. Puisque nous sommes tenus de les satisfaire, nous devons nous assurer que nous partageons la même notion du temps. Si des investisseurs veulent des résultats dans les trois ans, la présentation d'un plan sur sept ans risque de les refroidir…

Se fixer des objectifs

Définir des *objectifs* revient à attribuer une valeur à chaque KISS pour chaque jalon. À ce niveau, les objectifs ne sont pas l'expression des projections financières. Ils expriment ce qui peut être réalisé sans se préoccuper de la disponibilité des ressources. C'est le potentiel raisonnablement envisageable.

Le choix des objectifs est délicat. S'ils sont trop faibles, il est patent que l'opportunité ne vaut pas la peine d'être saisie. Si au contraire ils sont trop ambitieux, la crédibilité des promoteurs du projet sera mise à mal dès que quelqu'un – généralement la direction, les investisseurs, ou les deux – se rendra compte de l'exagération. Ce réveil brutal peut se produire rapidement, ou lorsqu'il apparaît que les objectifs optimistes ne sont pas atteints. Quel que soit le moment où il intervient, il laisse un goût amer. Ainsi, entre les scénarios pessimistes et optimistes, il n'existe qu'une seule voie de salut : des objectifs réalistes !

Idéalement, il faudrait se fixer des objectifs pessimistes, qui restent malgré tout suffisamment séduisants pour les parties prenantes. Sous-estimer la définition du succès est recommandé, afin de se laisser une marge de manœuvre au cas où l'opération ne se déroulerait pas comme prévu.

Beaucoup d'opportunités ne dépassent pas cette étape, simplement parce que les porteurs de projet se rendent compte, en commençant à définir leurs objectifs, qu'elles ne valent pas la peine d'être saisies.

La définition du succès est un contrat

La *définition du succès* correspond à l'ensemble des objectifs retenus pour chaque KISS dans les délais choisis. La faisabilité de l'opération sera vérifiée plus tard, au moment où le plan d'action, qui détermine aussi les ressources nécessaires, sera adopté.

La définition du succès est en quelque sorte la « douche froide » du porteur de projet. Elle le conduit en effet à « redescendre sur terre » en lui imposant de traduire son ECU en objectifs mesurables. Le passage des mots aux chiffres est généralement un exercice douloureux, car il n'y a plus de place pour les rêves ou les phantasmes ! C'est le début des comptes à rendre…

La définition du succès détermine le niveau d'attractivité d'un projet. Les personnes qui évaluent les projets consacrent en principe beaucoup d'attention aux objectifs annoncés. C'est le cas des investisseurs, des comités d'examen, des bailleurs de fonds, la direction, le conseil d'administration, des incubateurs, des fournisseurs de subvention, etc. Leur rôle est de s'assurer que les projets qu'ils commanditent sont valables, réalistes et réellement en mesure de tenir leurs promesses, exprimées par les objectifs. Ce qui est mesurable paraîtra toujours plus sérieux aux parties prenantes, puisqu'elles peuvent en assurer la surveillance. Il existe bien sûr d'autres facteurs susceptibles de jouer un rôle dans le processus de décision : empêcher la concurrence d'accéder à un certain marché, explorer de nouveaux débouchés, distraire certains actionnaires d'autres sujets, etc.

Le « problème » avec les objectifs mesurables est qu'ils représentent un engagement. Les parties prenantes attendent des porteurs de projet qu'ils leur livrent ce qu'ils ont annoncé durant la phase de séduction. C'est sur la base des objectifs annoncés et réalisés que se fait le jugement dernier. Nombreux sont les investisseurs tentés de lier leurs apports à la réalisation de la définition du succès ; c'est le cas lorsqu'une dilution des parts des fondateurs est prévue si les objectifs fixés ne sont pas atteints. Certains créateurs d'entreprise ont perdu le contrôle – et parfois la direction – de leur société, lorsque leurs résultats se sont révélés inférieurs aux prévisions qu'ils avaient présentées pour séduire les investisseurs. Des objectifs sans ambiguïté non réalisés laissent peu de place à la négociation : il faudra tenter de fournir une explication convaincante et de toute façon en subir les conséquences.

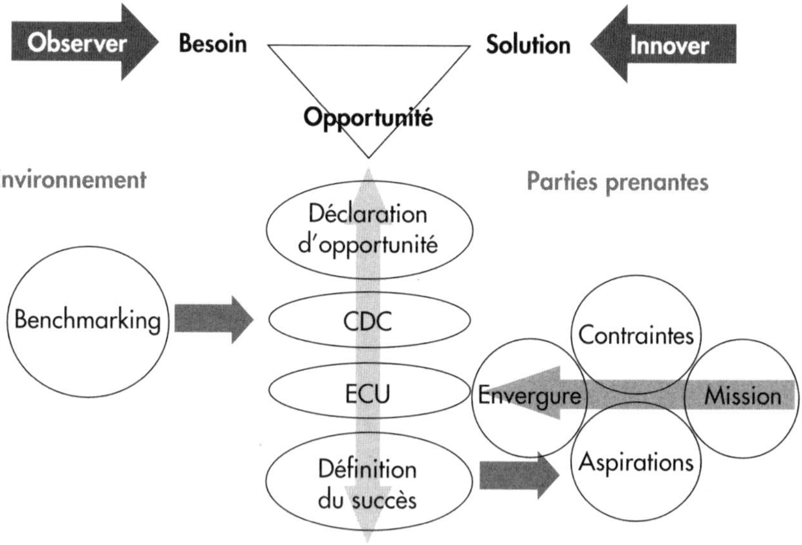

Figure 11 : *La définition du succès traduit les intentions de l'entrepreneur*

La ratification de la définition du succès par les parties prenantes confirme qu'elle est en phase avec leurs aspirations. L'absence de ratification est au contraire un signal clair, qui doit conduire à modifier ses objectifs ou éventuellement à négocier le contenu de sa définition du succès. Celle-ci représente aussi un outil de communication entre les principales parties prenantes, pour vérifier la cohérence de leurs aspirations.

La définition du succès de Nespresso Classic

(Les objectifs indiqués ci-dessous sont fictifs, car les informations de Nespresso sont confidentielles.)

N°	Indicateurs	Jalons				
		Unités de mesure	1 an	2 ans	4 ans	7 ans
1	Profit	Millions d'euros	40	53	75	100
2	Chiffre d'affaires	Millions d'euros	400	500	700	900
3	Préférence des consommateurs par rapport à l'*expresso* traditionnel (test en aveugle)	%	60 %	65 %	72 %	79 %
4	Notoriété de la marque	%	40 %	60 %	75 %	90 %

Les *terminators* d'opportunité

Les *terminators* d'opportunité correspondent simplement à des critères d'« interruption volontaire de projet ». Il s'agit de décider à l'avance que, si certains objectifs minimums ne sont pas atteints (les *terminators*), le projet sera abandonné. Cette position traduit une grande détermination à réussir et un niveau de maturité élevé, mais aussi une forte conviction que ces seuils seront atteints. Elle accroît aussi la crédibilité du porteur de projet, qui montre ainsi qu'il n'est pas sous l'emprise de ses émotions. Chaque investisseur en bourse sait que celui qui a la discipline de décider à l'avance à quel moment mettre un terme à une position perdante et de s'y tenir possède une indiscutable force. Il en est de même pour les opportunités…

Les *terminators* bénéficient principalement aux porteurs de projet, en leur permettant d'arrêter de consacrer inutilement des ressources à un projet vraisemblablement condamné. Il faut donc d'abord choisir les KISS qui seront des *terminators*, puis définir pour chacun le seuil déclenchant le « commutateur d'arrêt ».

Les *terminators* sont une sorte d'épée de Damoclès que nous suspendons volontairement au-dessus de notre propre tête. Savoir que le projet s'arrête si nous n'atteignons pas les objectifs requis par les *terminators* est une puissante source de motivation. Les *terminators* réduisent la tentation d'être trop accommodant ou complaisant.

Les *terminators* de Nespresso Classic

(Les *terminators* indiqués ci-dessous sont fictifs, car les informations de Nespresso sont confidentielles.)

Indicateurs	Unités de mesure	Jalons	
		1 an	2 ans
Profit	Millions d'euros	5	10
Chiffre d'affaires	Millions d'euros	100	150
Préférence du goût	%	40 %	50 %

Chapitre 10

Les facteurs sonneront plus de trois fois

Négliger les facteurs est suicidaire

Les points abordés dans ce chapitre

- *L'identification des facteurs*
- *Les différentes sortes de facteurs*
- *L'analyse des facteurs*
- *La gestion des risques*

De l'importance de penser à l'avance aux facteurs

Une vieille dame ouvre sa porte d'entrée et se retrouve nez à nez avec un jeune homme bien vêtu qui porte un aspirateur.

« Bonjour, lui dit-il. Si vous avez quelques minutes à m'accorder, je voudrais vous montrer comment fonctionne ce nouvel aspirateur superpuissant.

– Allez-vous en ! dit la vieille dame. Je n'ai pas d'argent. » Et elle essaye de fermer la porte.

Rapide comme l'éclair, le jeune homme glisse son pied dans la porte et la pousse grande ouverte.

« Pas si vite ! dit-il. Attendez de voir ma démonstration. » Ce disant, il verse un seau de fumier sur la moquette du corridor.

« Si cet aspirateur ne nettoie pas toutes les traces de fumier, madame, je mangerai moi-même ce qui reste, déclare le jeune homme.

– Alors j'espère que vous avez bon appétit, lui répond la vieille dame, parce que l'électricité a été coupée ce matin. »

Les facteurs sont des faits, des enjeux, des conditions qui peuvent avoir un impact sur notre capacité à réaliser notre projet, autrement dit à atteindre notre définition du succès. Imposés par le reste du monde, ils font partie de l'environnement de l'opportunité, et nous les subissons. Dans la mesure où nous avons généralement peu d'influence sur eux, il nous faut « faire avec ».

Il est donc indispensable d'intégrer ces facteurs dans l'analyse de l'opportunité. C'est l'étape qui suit la formulation de la déclaration d'ECU (la description de la solution proposée) et des résultats à livrer (la définition de succès).

L'identification des facteurs

L'analyse PEST[1] des tendances politiques, économiques, sociales et technologiques peut participer à l'identification des facteurs. Les tendances, la mode et les événements peuvent en effet avoir un impact significatif sur le succès du projet. La montée subite du terrorisme fondamentaliste musulman a par exemple créé :

• des opportunités pour les spécialistes de la sécurité ;
• des risques pour les transporteurs et les voyagistes ;
• des obstacles pour les entreprises arabes faisant des affaires avec l'étranger.

La liste des facteurs n'est jamais exhaustive : il y en a toujours auxquels personne ne pense. Un premier inventaire est généralement dressé durant une séance de brainstorming. D'autres facteurs viennent ensuite le compléter au fur et à mesure de la maturation du projet. Nous recommandons vivement de les consigner par écrit. En effet, en raison de leur nombre élevé, il est très facile d'en oublier.

© Groupe Eyrolles

---

1. Politique, économie, socioculturel, technologie.

Les différentes sortes de facteurs

Trois catégories principales de facteurs existent :

- les **aubaines**, des opportunités environnementales *connues*, qui peuvent contribuer à l'exploitation de notre propre opportunité ;
- les **obstacles**, des difficultés *connues* placées sur le chemin du succès. Il est nécessaire de les surmonter ou de les contourner ;
- les **éventualités**, des obstacles ou des aubaines *potentiels.* La différence entre une éventualité et un obstacle est que l'éventualité peut ne jamais se matérialiser (c'est une simple possibilité associée à une probabilité de réalisation), tandis que l'obstacle est une réalité. Certaines éventualités sont des aubaines qui peuvent se concrétiser : elles représentent une sorte d'« éventualité positive », par opposition aux « éventualités négatives » ou risques qui se transforment en obstacles.

Des sous-catégories devraient également être identifiées :

- les **barrières à l'entrée** sont des obstacles particuliers. Leur spécificité vient du fait qu'ils sont généralement incontournables, puisque leur raison d'être est précisément d'empêcher des concurrents de devenir une menace ;
- les **tueurs d'opportunité** sont les facteurs susceptibles d'avoir un impact fatal sur le projet.

La nature de chaque facteur doit ensuite être identifiée : est-ce une aubaine un obstacle ou une éventualité ? Il faut aussi identifier parmi eux les barrières à l'entrée et les tueurs d'opportunité. Un facteur peut appartenir à plusieurs catégories. Pour les entreprises traitant de l'authentification des signatures digitales, une éventuelle réglementation gouvernementale imposant une norme est ainsi une éventualité (il n'est pas sûr que la réglementation soit introduite) qui sera :

- si elle se matérialise, à la fois une aubaine (la demande augmentera quand la réglementation entrera en vigueur) et une barrière à l'entrée pour ceux dont le standard n'est pas compatible (et même un tueur d'opportunité) ;

- si elle ne se matérialise pas, un obstacle (en l'absence de législation, les gens sont moins disposés à employer l'authentificaès des signatures digitales).

Au contraire, si aucune norme n'est imposée, certaines compagnies fournissant ce type de solutions pourraient disparaître, le marché se développant trop lentement en l'absence de standardisation. Les grands acteurs de l'authentification, comme Verisign, auront une perception différente de celle de compagnies plus petites, telle WISeKey, plus vulnérables à ce facteur.

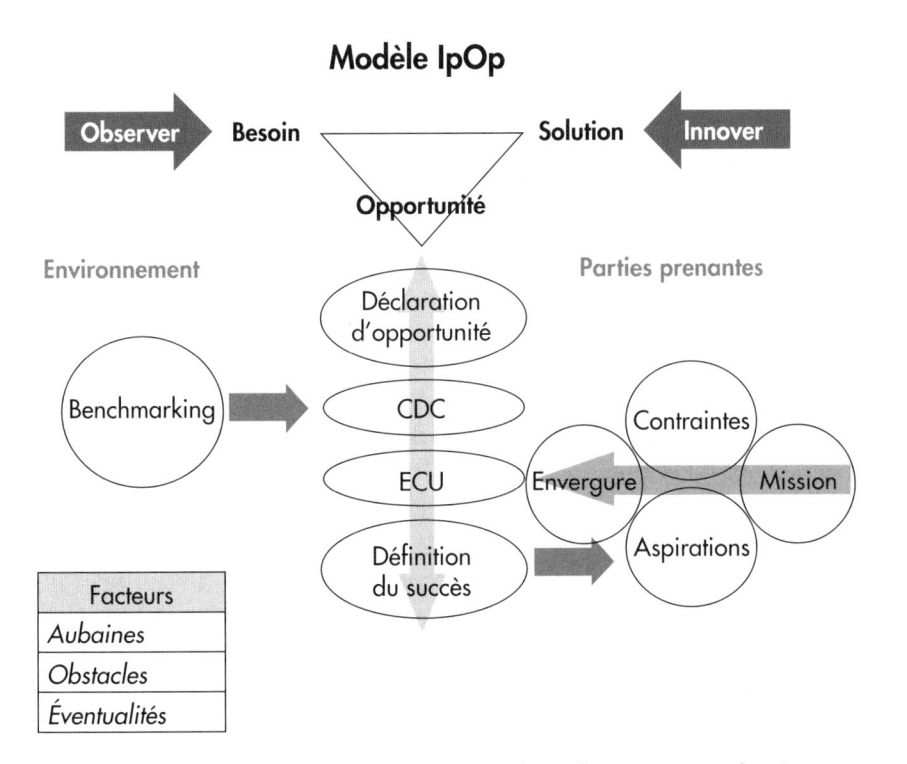

Figure 12 : *Les facteurs (aubaines, obstacles ou éventualités) peuvent influencer positivement ou négativement la concrétisation de la définition du succès*

119

L'analyse des facteurs

Comprendre l'impact des facteurs sur l'opportunité est encore plus important. Pour le faire de manière cohérente, il faut évaluer l'influence de chaque facteur sur :

- la définition du succès : puisque les KISS seront utilisés pour décider du destin du projet, les facteurs qui ont un impact modéré sur les KISS méritent moins d'attention que ceux qui ont un impact fort ;
- les CDC : compte tenu de leur importance, il faut prêter une attention particulière aux facteurs qui les influencent.

Une analyse systématique de chaque facteur est indispensable pour s'assurer que l'on a une image aussi complète que possible de la situation. Même si certains sont capables de faire cette analyse de manière spontanée et instinctive, il est préférable de retenir une approche systématique. La combinaison du talent, de l'intuition et de la méthodologie donne une recette très performante. Les questions posées par cette analyse ont le mérite de stimuler la réflexion et les confrontations d'idées.

Les facteurs évoluent dans le temps, ce qui peut avoir un impact significatif sur le succès de l'opportunité. Ainsi, l'importante baisse du prix des appels téléphoniques internationaux a changé le modèle économique de bon nombre d'opérateurs de téléphonie fixe, lesquels avaient précédemment profité de ces revenus pour subventionner les communications locales. Imaginer la manière dont les facteurs pourraient évoluer et l'impact de cette évolution requiert également de la discipline. Pour ceux sur lesquels nous n'avons aucune influence, soit par définition la plupart d'entre eux, il est possible de :

- **concevoir des actions tactiques** susceptibles de tirer parti des aubaines identifiées ou de contourner des obstacles existants ;
- **surveiller les plus critiques,** en particulier les éventualités, puisque leur survenance pourrait avoir un impact significatif sur le projet ;

Les facteurs de Nespresso Classic

N°	Facteurs	Nature				
		Aubaine	Éventualité	Obstacle	Barrière à l'entrée	Tueur d'opportunité
1	Soutien de la maison mère	X	X			
2	Réaction des concurrents		X	X	X	X
3	Évolution technologique	X	X			
4	Réaction des médias	X	X			
5	Évolution du prix des matières premières		X			X
6	Évolution du pouvoir d'achat et conjoncture		X			
7	Cocooning	X				
8	Perception du café (impact sur la santé)	X	X			

LES FACTEURS SONNERONT PLUS DE TROIS FOIS

N°	Facteurs	Nature				
		Aubaine	Éventualité	Obstacle	Barrière à l'entrée	Tueur d'opportunité
9	Réaction des détaillants			X		
10	Réaction des fabricants de machines	X	X		X	
11	Problème de qualité		X			X
12	Nouveauté du procédé	X		X	X	
13	Méconnaissance de la marque			X	X	X
14	Absence de réseau de distribution			X	X	X
15	Développement durable	X		X		

- **se préparer à réagir s'ils se matérialisent,** en améliorant sa capacité à saisir les futures aubaines, à réduire l'impact des risques, etc. ; l'extension de l'Union européenne crée des opportunités d'affaires pour certains tout en augmentant la pression concurrentielle pour d'autres.

La gestion des risques

Les grandes – et riches – organisations sont notoirement allergiques à la prise de risques. En réalité, tout le monde devrait l'être ! Contrairement à une opinion répandue, les entrepreneurs n'aiment généralement pas les risques. Ce qu'ils aiment, c'est le succès et pour y parvenir, ils sont prêts à prendre des risques calculés. Les seules personnes réellement attirées par les risques sont les joueurs[1] ou les spéculateurs…

S'assurer que les risques ont été correctement analysés est donc particulièrement important dans les grandes organisations. Ces dernières préfèrent généralement renoncer à une opportunité plutôt que de prendre des risques inutiles. Pour les plus petites entreprises, c'est différent. Les risques peuvent aussi les conduire à la chute mais, faute de moyens et étant plus vulnérables, elles n'ont souvent pas d'autre choix que de spéculer et… de prier.

Dans tous les cas et en présence d'une opportunité, certains risques ne peuvent tout simplement pas être pris car leur survenance serait fatale (ce sont les fameux tueurs d'opportunité). Ils doivent être clairement identifiés et surveillés.

C'est non seulement le risque qui doit être surveillé, mais également ses « déclencheurs ». La surveillance du déclencheur donne davantage de temps pour réagir. Si le taux de change est un facteur critique, il faut essayer d'identifier les facteurs qui peuvent entraîner la fluctuation de ce taux.

---

1. *Gamblers.*

Pour gérer les risques, il faut non seulement les identifier et évaluer leur impact, mais aussi planifier une réaction adaptée. L'élaboration de plans d'urgence (les « plans B ») est une impérieuse nécessité pour atténuer l'impact des risques critiques.

Il arrive parfois que le plan B soit le plan principal. Lorsque la jeune compagnie Easyjet a proposé des vols entre Genève et Barcelone à des prix sensiblement inférieurs à ceux des compagnies IATA (notamment Swissair), elle a lancé une campagne de promotion agressive, avant même d'avoir obtenu la concession de l'Office fédéral de l'aviation en Suisse. Swissair a fait du lobbying pour faire barrage et les autorités n'ont finalement pas accordé le feu vert à Easyjet. Or de nombreux clients avaient déjà acheté leur billet. Quelques jours plus tard, Easyjet a annoncé que non seulement ces clients seraient tous entièrement remboursés, mais aussi que le voyage pour Barcelone leur serait gracieusement offert. Ce plan B a été salué comme une réaction élégante. Néanmoins, l'histoire ne s'arrête pas là. Peu de temps après, Easyjet a annoncé que bien qu'elle n'ait pas obtenu la concession, elle maintiendrait au même prix son offre entre Barcelone et Genève. Elle ne vendrait plus de billets de transport, soumis à la concession refusée, mais un « package » incluant une prestation hôtelière[1]. Rien n'empêchait en effet Easyjet de proposer pour logement une nuit de camping à des dizaines de kilomètres de Barcelone… Suite à cet épisode, la notoriété d'Easyjet en Suisse est passée de 50 % à plus de 75 %. Non seulement son plan B était brillant, puisqu'il a maximisé à très bon compte l'impact de l'opération sur le public, mais ce chef-d'œuvre de gestion des relations publiques est un excellent exemple d'innovation non technologique et de guérilla marketing.

Une attention particulière doit être accordée à l'analyse des risques, car celle-ci participe de manière essentielle à la crédibilité du porteur de projet. Ici encore, cette étape prouve que le travail de

---

1. Cela impliquait juste que la compagnie détienne une simple licence d'organisateur de voyages, ce qu'elle possédait.

préparation et d'anticipation a été correctement effectué. Une manière simple de présenter les risques consiste à les répertorier dans un tableau.

Risques	Impact sur l'opportunité	Que faire pour atténuer cet impact ?	Facteurs de déclenchement	Mesures de surveillance
Risque 1				
Risque 2				
...				
Risque X				

Analyse des risques

Chapitre 11

Barricadé dans ses incertitudes

La gestion des incertitudes permet d'en réduire le niveau

Les points abordés dans ce chapitre

- *Lister les incertitudes*
- *Déterminer les incertitudes prioritaires*
- *Réduire le niveau des incertitudes*
- *La surveillance des incertitudes*

De la pertinence de penser aux risques

Un homme se réveille un jour et voit un gorille sur un arbre dans son jardin. Il téléphone à la SPA. Un employé vient chez lui avec un bâton, un chihuahua, une paire de menottes et un fusil.

« Écoutez-moi attentivement, dit-il au propriétaire de la maison. Je vais grimper dans l'arbre et frapper le gorille avec ce bâton jusqu'à ce qu'il tombe par terre. Le chihuahua a été entraîné à mordre ses parties intimes. Lorsque le gorille croisera les mains pour se protéger, vous lui mettrez les menottes.

– J'ai compris ! Mais à quoi sert le fusil alors ? »

L'employé de la SPA lui répond : « Si je tombe de l'arbre avant le gorille, vous descendez le chihuahua ! »

Toutes les choses que nous ignorons, mais qui pourraient être partiellement vérifiées, sont des incertitudes. Témoignant de l'imprévisibilité due au manque d'informations, elles sont sources de risques. Seuls les rêveurs imaginent faire des affaires dans un environnement prévisible. Néanmoins, à la différence des risques, le niveau d'incertitude peut être réduit en procédant à un test ou à un sondage. Avant qu'un produit n'atteigne le stade de la production industrielle, il subsiste un certain niveau d'incertitude sur sa faisabilité. La gestion des incertitudes complète donc la gestion des risques.

Les actionnaires, les investisseurs et les prêteurs détestent les incertitudes, ce qui est une raison suffisante pour les analyser. Une autre, plus importante encore, est que le premier à bénéficier de la réduction des incertitudes est le porteur du projet lui-même, dans la mesure où il augmente ainsi ses chances d'atteindre le succès.

Lister les incertitudes

Établir assez tôt une liste des incertitudes est, comme pour les facteurs, **la première étape permettant de les gérer.** Ici aussi, le brainstorming est un outil efficace pour en identifier le plus possible, sachant qu'en oublier une peut coûter cher.

Les incertitudes relèvent en principe de quatre grandes catégories. On distingue :

- les incertitudes technologiques ;
- les incertitudes du marché ;
- les incertitudes organisationnelles ;
- **les incertitudes liées aux ressources.**

Elles peuvent être identifiées en se posant des questions précises, en voici quelques-unes.

Les incertitudes technologiques

- Le produit fonctionne-t-il de manière fiable, comme prévu ?
- Peut-on économiquement en faire un produit industriel ?
- Peut-on augmenter la capacité de production et de livraison ?
- Quelles sont les incidences du produit et de la production sur l'environnement ?

Les incertitudes du marché

Les incertitudes du marché devraient être prises en compte dans la déclaration d'opportunité. Leur identification requiert de la rigueur et une bonne compréhension du marché.

- Qui bénéficiera des avantages et qui achètera le produit ?
- À quel prix ?
- Combien de personnes seraient-elles disposées à payer le prix de vente nécessaire pour atteindre la définition du succès ?
- Avec quelle performance et quelles caractéristiques ?
- Comment atteindre les clients et communiquer avec eux ?
- Comment la concurrence réagira-t-elle ?
- Le produit sera-t-il conforme aux exigences légales ou aux normes applicables ?
- L'approvisionnement des fournitures est-il assuré ?

Les incertitudes organisationnelles

Certaines incertitudes organisationnelles concernent plus particulièrement les porteurs de projet au sein d'une entreprise existante.

- La résistance de l'organisation peut-elle être neutralisée ?
- Le changement managérial, tant au niveau des priorités que du soutien des collaborateurs, peut-il être géré ?
- Peut-on constituer l'équipe requise pour gérer ce projet ?

Les incertitudes des ressources

- Peut-on trouver les ressources nécessaires et en disposer le moment venu ?
- Comment poursuivre le projet si on doit faire face à une réduction des ressources ?
- Comment gérer un changement d'affectation d'un ou plusieurs membres de l'équipe ?

La liste des incertitudes n'est jamais exhaustive, il peut en effet en apparaître à tout moment. Il est important de s'imposer la discipline de les consigner par écrit : il est en effet plus facile de les sous-estimer quand elles ne sont pas répertoriées…

Déterminer les incertitudes prioritaires

Comme pour les facteurs, il faut évaluer l'impact des incertitudes sur la définition du succès et sur les CDC (en particulier pour les incertitudes technologiques et celles liées au marché), afin de déterminer celles qui seront à traiter en priorité. En croyant, à tort, qu'elles pourraient livrer certains CDC nécessitant une maîtrise technologique qu'elles n'ont pu obtenir, de nombreuses start-up ont été amenées à disparaître ou ont perdu beaucoup d'argent.

Identifier les incertitudes les plus dangereuses est une étape essentielle. Chaque incertitude devrait donc être évaluée sur une échelle indiquant si elle est :

- **critique** : son impact peut être fatal ;
- **importante** : elle peut avoir un impact significatif sur le projet, sans toutefois être essentielle à son destin ;
- **peu importante** : elle peut avoir un impact marginal sur le projet.

Pour optimiser leur gestion, les ressources seront allouées en fonction de la priorité attribuée à chaque incertitude (les entreprises n'ont généralement pas assez de ressources pour réduire le niveau de toutes les incertitudes). Nous avons une tendance naturelle à nous focaliser sur la réduction du niveau des incertitudes relevant de nos centres d'intérêt personnels au lieu de nous concentrer sur les plus critiques. C'est typiquement le cas des scientifiques ou des ingénieurs, qui sont tentés de consacrer la plus grande partie de leur énergie à mettre au point les caractéristiques techniques du produit – c'est ce qu'ils aiment faire et ce pourquoi ils ont été formés. Ils sont alors souvent tentés de négliger les incertitudes commerciales… qui ne sont pas leur tasse de thé.

Réduire le niveau des incertitudes

L'incertitude est simplement le résultat d'un manque d'informations. La question est donc de savoir comment obtenir les informations faisant défaut. Recueillir l'information est le champ d'action des guérilleros de l'intelligence économique.

Seule 20 % de l'information est généralement utile pour prendre 80 % des décisions. Ce rapport général, inspiré de la loi classique de Pareto[1], a des implications importantes sur la manière de traiter les incertitudes. Ces 20 % devraient permettre de réduire le niveau d'incertitude, afin de prendre les mesures qui s'imposent pour aller de l'avant. Faire un sondage auprès d'une fraction de la population concernée réduit ainsi substantiellement le degré d'incertitude.

La création de plusieurs « sous-incertitudes » peut aider à diminuer le niveau général de l'incertitude : il est toujours plus facile de réduire séparément certaines sous-incertitudes, notamment celles qui relèvent de la technologie.

---

1. La loi énoncée par Vilfredo Pareto, économiste italien, prédit que 80 % des résultats sont dus à 20 % des efforts ou des acteurs.

Vérifier les hypothèses de travail est souvent la clé pour réduire le niveau de certaines incertitudes. Une bonne manière de le faire consiste à identifier des moyens rapides et abordables de tester ces hypothèses. Généralement, il est trop coûteux et trop lent de supprimer totalement l'incertitude, c'est la raison pour laquelle nous nous satisfaisons d'informations partielles ou extrapolées.

Les équipes multidisciplinaires sont souvent plus efficaces pour traiter les incertitudes. Il est rare de trouver des individus ayant les compétences requises pour réduire le niveau de toutes les incertitudes.

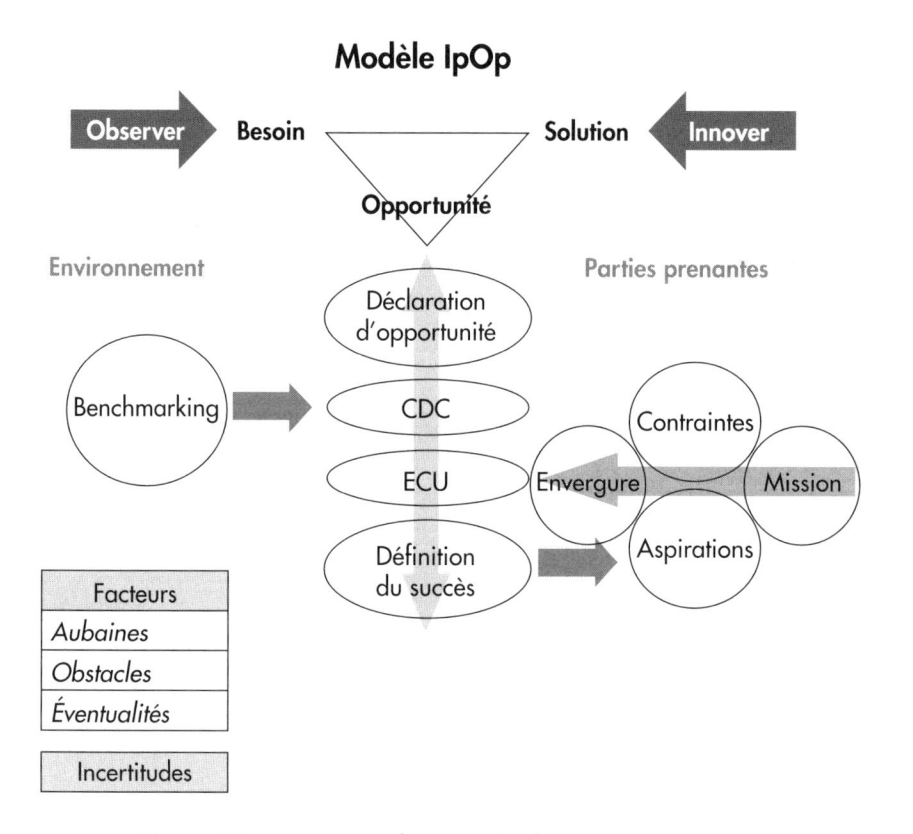

Figure 13 : La gestion des incertitudes a aussi un impact sur la capacité à réaliser la définition du succès

La surveillance des incertitudes

En raison de l'importance des incertitudes, il faut aussi surveiller leur évolution dans le temps. Le niveau de certaines incertitudes peut augmenter, tandis que celui d'autres diminue. L'accroissement du volume de production (changement de palier) peut s'avérer beaucoup plus difficile que prévu. Les militaires ont ainsi appris à leurs dépens que les réactions chimiques se modifient en fonction de la quantité : un repas pour 500 soldats n'a pas le même goût que la même recette préparée pour 4 personnes…

La gestion des incertitudes est un processus dynamique, en raison de l'évolution constante des connaissances et des situations. De nouvelles incertitudes peuvent être identifiées en cours de route. Les priorités changent également au fil du temps. Il faut donc périodiquement vérifier le statut des incertitudes et réorienter leur gestion en conséquence. La pêche aux informations est essentielle et ne devrait jamais être interrompue.

Les incertitudes de Nespresso Classic

N°	Incertitudes	Nature		Mesures possibles pour réduire le niveau d'incertitude
		Peut faire échouer le projet	**Peut être réduite facilement**	
1	Obtention des ressources de la maison mère	Oui	Oui	Préparer un bon *opportunity case*[1] minimisant les risques (notamment la baisse d'image de Nestlé)
2	Acceptation des consommateurs	Oui	Oui	Étude de marché, groupes de discussion, etc.
3	Adhésion des fabricants de machines	Oui	Oui	Sonder les fabricants
4	Fiabilité du procédé	Oui	Oui	Tests d'endurance, recherche et développement maison, sous-traitance partielle
5	Constitution d'une bonne équipe	Oui	Oui	Profils psychologiques, coaching, etc.

1. Voir chapitre 16.

Chapitre 12

Le passage à l'action tactique

Les actions tactiques sont le moyen d'atteindre la définition du succès, mais aussi d'échouer sans gloire

---

Les points abordés dans ce chapitre

- *Les barrières à l'entrée*
- *Les actions tactiques*

De l'utilité de la tactique

Lors d'une réunion d'urgence de l'ONU concernant un conflit au Moyen-Orient, la parole est donnée à l'ambassadeur israélien : « Mesdames et messieurs, avant de commencer mon discours, j'aimerais vous raconter une vieille histoire... Quand Moïse mena les Juifs hors d'Égypte, il dut traverser de nombreux déserts, des prairies et de nouveau des déserts. Le peuple avait soif. Alors Moïse frappa la montagne avec sa canne. À la place de la montagne apparut un étang, avec de l'eau fraîche et claire comme du cristal. Le peuple se réjouit et but jusqu'à plus soif. Moïse voulut laver son corps, aussi se rendit-il de l'autre côté de l'étang. Il se déshabilla et plongea dans les eaux fraîches. Quand il sortit de l'eau, il constata que tous ses vêtements avaient disparu. Et j'ai des raisons de croire que ce sont des Palestiniens qui lui ont volé ses vêtements... ».

Yasser Arafat saute de son siège et s'écrie :

« C'est un mensonge, tout le monde sait qu'il n'y avait là-bas aucun Palestinien à l'époque !

– Avec ceci à l'esprit, laissez-moi commencer mon discours... » enchaîna l'ambassadeur israélien.

Le plaisir est dans l'action. C'est la raison pour laquelle nous adorons penser en termes tactiques. En réalité, la plupart des porteurs de projets passent directement de l'identification de l'opportunité à la planification tactique de sa mise en œuvre. Cette tendance à l'action les conduit naturellement à négliger plusieurs éléments de l'analyse stratégique présentée dans les chapitres précédents. Si l'analyse, la compréhension, la réflexion et tous les autres efforts demandés jusqu'ici sont intellectuellement stimulants, ils ne sont pas proprement dits liés à l'action. Nous verrons plus loin comment une analyse stratégique insuffisante affaiblit l'efficacité des mouvements tactiques.

Les actions tactiques ont pour but d'atteindre la définition du succès. Parmi elles, certaines sont conçues pour nous permettre d'être les premiers et les seuls à y parvenir : ce sont les barrières à l'entrée, mises en place pour empêcher nos concurrents d'empiéter sur notre territoire.

Les barrières à l'entrée

Construire des barrières à l'entrée est souvent nécessaire pour devenir un leader du marché et le rester. Dans une économie de marché, le succès suscite la convoitise des autres acteurs, qui deviennent d'office des concurrents. Or qui dit concurrence, dit marges inférieures, d'où la nécessité d'ériger des obstacles visant à empêcher les autres de toucher au « pain bénit » de l'opportunité exploitée.

Mieux vaut multiplier les difficultés, en combinant plusieurs barrières à l'entrée. Malgré l'existence des obstacles mis sur leur chemin, certains audacieux peuvent en effet malgré tout s'approprier des parts de marché. Les barrières à l'entrée peuvent être :

- les brevets ;
- le dépôt d'une marque ;
- les droits ou contrats exclusifs (contrats de forage dans certains pays) ;
- les règlements gouvernementaux (intermédiaires qualifiés autorisés par l'administration fiscale américaine) ;

- les logiciels propriétaires (système d'exploitation des ordinateurs Apple) ;
- les activités requérant des capitaux importants (production de circuits intégrés pour ordinateurs) ;
- le réseau de distribution (fabricants de crème glacée) ;
- les partenariats stratégiques (alliance d'Intel et de Microsoft) ;
- l'accès aux clients (la base de données des plongeurs PADI donne à cette organisation un avantage énorme) ;
- le soutien des prescripteurs (les médecins pour les médicaments) ;
- les secrets de fabrication (la fameuse recette de Coca-Cola) ;
- etc.

L'analyse de la chaîne de valeur est un bon point de départ pour identifier les zones les plus sensibles afin de déterminer les barrières à l'entrée ayant l'effet le plus dissuasif. Signer un contrat exclusif peut bloquer l'accès au marché pour certains concurrents.

Il ne suffit pas d'avoir une barrière à l'entrée, encore faut-il qu'elle soit efficace. Penser qu'un brevet est une barrière à l'entrée suffisante est une illusion dont sont souvent victimes les porteurs de projet. Le brevet n'a pour effet que d'autoriser son titulaire à engager une procédure juridique afin d'empêcher des tiers d'utiliser l'invention brevetée. Néanmoins, la procédure en question est généralement tellement coûteuse qu'il est rare d'avoir les moyens de la mettre en œuvre. Dans certains cas, le secret de fabrication est ainsi préférable au brevet.

Les actions tactiques

Pour identifier les actions tactiques possibles, il est bon d'avoir recours aux techniques stimulant la créativité. Une fois encore, il est recommandé de faire appel aux techniques de brainstorming pour faire éventuellement émerger des actions tactiques originales.

Barrières à l'entrée protégeant Nespresso Classic

Marque Nespresso	Perception de qualité haut de gamme Expérience sensuelle et chargée d'émotion
Service client du club Nespresso	Disponibilité 24 heures sur 24, 7 jours sur 7 Service personnalisé
Maîtrise verticale de la chaîne de production	De l'achat du café à la tasse du consommateur
Variété des canaux de distribution et d'accès aux consommateurs	Internet Centre d'appel E-mail, SMS, fax Boutiques Bars, hôtels, restaurants Entreprises équipées
Un seul producteur de machines	Non-dissémination du savoir-faire pour la fabrication des machines
Partenariat exclusif avec les partenaires-machine	Partenaires-machine dans le monde entier, représentant la majeure partie du marché
Production des capsules	Coût d'une usine des dizaines de millions d'euros Savoir-faire spécifique
Conception des machines	Expérience technologique assurant la fiabilité
Brevets	Technologie exclusive avec les moyens financiers de combattre les contrefaçons

Le choix des actions tactiques joue un rôle important dans la chaîne de valeur. Prenons l'exemple d'Ebay : une des actions tactiques qui a sensiblement contribué à donner confiance aux acheteurs, et qui fut un facteur essentiel de succès, reposait sur le système d'évaluation des fournisseurs par les acheteurs. Ces derniers ont la possibilité de témoigner de leur niveau de satisfaction ou de mécontentement grâce à cette « notation ». Parmi d'autres actions tactiques d'Ebay, on peut citer la mise en place d'un système de paiement sécurisé, l'implantation hors des États-Unis, la mise à disposition d'une solution de résolution des conflits, l'offre de cours de formation en ligne, le développement d'une interface très facile à manier, tant par les acheteurs que par les vendeurs, etc.

Le but des actions tactiques est de contribuer à :

- **satisfaire les besoins,** notamment ceux mentionnés dans la déclaration d'opportunité ;
- **améliorer les CDC du produit,** afin de faire pencher la balance en faveur de l'achat du produit par les clients ;
- **exploiter les aubaines présentes ou futures ;**
- **surmonter les obstacles ;**
- **réduire les risques (éventualités négatives)** ou alléger leurs conséquences (notamment pour les tueurs d'opportunité) ;
- **réduire le niveau d'incertitude,** qui clarifie l'horizon ;
- **respecter les contraintes ;**
- **se protéger des concurrents** grâce, la plupart du temps, aux barrières à l'entrée.

Il n'est pas toujours possible de réaliser toutes ces actions tactiques. Certaines sont conditionnées par d'autres ou nécessitent la collaboration de personnes spécifiques. L'analyse des relations de dépendance entre les actions évite la frustration résultant de l'impossibilité d'aller de l'avant (lorsque certaines conditions ne sont pas en place). Ces « conditions préalables » peuvent être traitées comme des obstacles devant être surmontés.

Stratégies	Exemples de mise en œuvre	Exemples d'actions tactiques
Notoriété de la marque	Intel	Autocollants « Intel inside » sur tous les PC et campagne de publicité
Sélection des canaux de distribution	Dell	Vente directe aux consommateurs sans passer par des détaillants
Prix	Easyjet	Pricing dynamique en fonction du taux de remplissage de chaque avion
Leadership technologique	Cisco	Acquisition de presque toutes les nouvelles technologies émergentes
Délocalisation	Oracle	Développement de logiciels en Inde
Différenciation	Alessi (accessoires de cuisine)	Design avant-gardiste et mise en scène des produits
Intégration verticale	Migros	Chaîne de supermarchés suisse qui exploite ses propres unités de production (chocolat, eau minérale, viande, etc.)
Emballage	Evian	Bouteilles de 750 ml avec un bouchon permettant de suspendre la bouteille
Logistique	DHL, Fedex, etc.	Système de traçabilité des envois
Conditions de travail	HP	Politique de développement du personnel

Stratégies	Exemples de mise en œuvre	Exemples d'actions tactiques
Empowerment	Banque cantonale de Genève	Le fait d'entreprendre est considéré comme un axe stratégique
Rémunération	World Wrestling Entertainment (catch)	Le revenu des catcheurs est fonction du chiffre d'affaires réalisé grâce à eux
Développement des cadres	Cap Gemini	Mise en œuvre d'une université d'entreprise pour le développement des cadres à haut potentiel
Finance	UBP (Union bancaire privée)	Fonds alternatifs[1]
Essayer avant d'adopter	Principe du shareware	Téléchargement de logiciels avec durée d'essai limitée dans le temps
Architecture ouverte	Linux	Engagement contractuel de mettre à disposition le code source des modifications éventuelles du logiciel
Spécialisation	CNBC	Chaîne télévisée d'information en continu
Service après-vente	Dell	Assistance technique durant toute la vie du produit
Approvisionnement	Nestlé	Centralisation de tous les achats de matières premières

---

1. *Hedge funds.*

Stratégies	Exemples de mise en œuvre	Exemples d'actions tactiques
Offre groupée	Microsoft	Préinstallation du système d'exploitation Windows® et du navigateur Internet Explorer® sur les nouveaux PC
Standardisation	Norme 802.11	Label WiFi, certification, promotion
Extension de la gamme des produits	Mercedes	Lancement de la série A pour développer de nouveaux marchés
Diversification	Nokia	Ajout à la téléphonie mobile d'activités plus traditionnelles (bois, caoutchouc...)
Sous-traitance	Serono (entreprise de biotechnologie)	Sous-traitance d'une partie de la recherche et développement au Weizmann Institute en Israël
Partenariat	Oracle	Partenariat avec Ford qui a permis de lancer les plateformes d'enchères sur appel
Brevet	Amazon	One click shopping[1]
Secret	Coca-cola	Recette secrète

1. *One click shopping* est un brevet déposé par Amazon faisant l'objet d'une grande controverse et qui concerne une manière d'acheter plus facilement sur Internet.

LE PASSAGE À L'ACTION TACTIQUE

Nature des actions tactiques

Les actions tactiques peuvent être de multiple nature, elles ne sont limitées que par l'imagination. Les exemples suivants illustrent la multitude de possibilités existantes. Chacune de ces stratégies correspond généralement à une combinaison d'actions tactiques.

La sélection des actions tactiques

Le choix des actions tactiques pertinentes est la question la plus délicate, car aucune entité ne peut s'offrir le luxe de mettre en œuvre toutes celles qui ont pu être imaginées. L'élimination de certaines actions tactiques n'est pas seulement dictée par des ressources limitées, mais également par leur éventuelle incompatibilité, qui pourrait même s'avérer contre-productive. La sélection est donc indispensable. Dans bien des cas, elle est effectuée de manière « affective » ou résulte de méthodes ésotériques, plus souvent appliquées qu'on ne le pense.

Une méthode de sélection structurée devrait contribuer à augmenter la cohérence et la sécurité de l'opération. En complétant l'intuition et en réduisant la part des facteurs émotionnels, le modèle IpOp apporte précisément une aide à la sélection des actions tactiques.

La sélection des actions tactiques consiste à évaluer pour chacune ses avantages, ses inconvénients et son impact sur les différentes dimensions de l'opportunité, en se demandant dans quelle mesure elles influenceront :

- la définition du succès : améliorent-elles les valeurs des KISS ?
- les CDC : les améliorent-elles ?
- les incertitudes : réduisent-elles utilement le niveau d'incertitude ?
- les aubaines : contribuent-elles à les saisir ?
- les éventualités : réduisent-elles leur impact sur les risques ou augmentent-elles le potentiel d'exploitation des aubaines futures ?
- les obstacles : contribuent-elles à les surmonter ou à les éviter (en particulier les barrières à l'entrée) ?

- la protection : contribuent-elles à construire des barrières à l'entrée protégeant de la concurrence ?

À chaque action tactique peut être associée une évaluation de sa pertinence. L'échelle suivante peut être utilisée à cette fin :

- 3 : action qui doit impérativement être faite (critique) ;
- 2 : action qui devrait être faite ;
- 1 : action à faire, mais pouvant attendre ;
- 0 : action qui ne vaut pas la peine d'être entreprise.

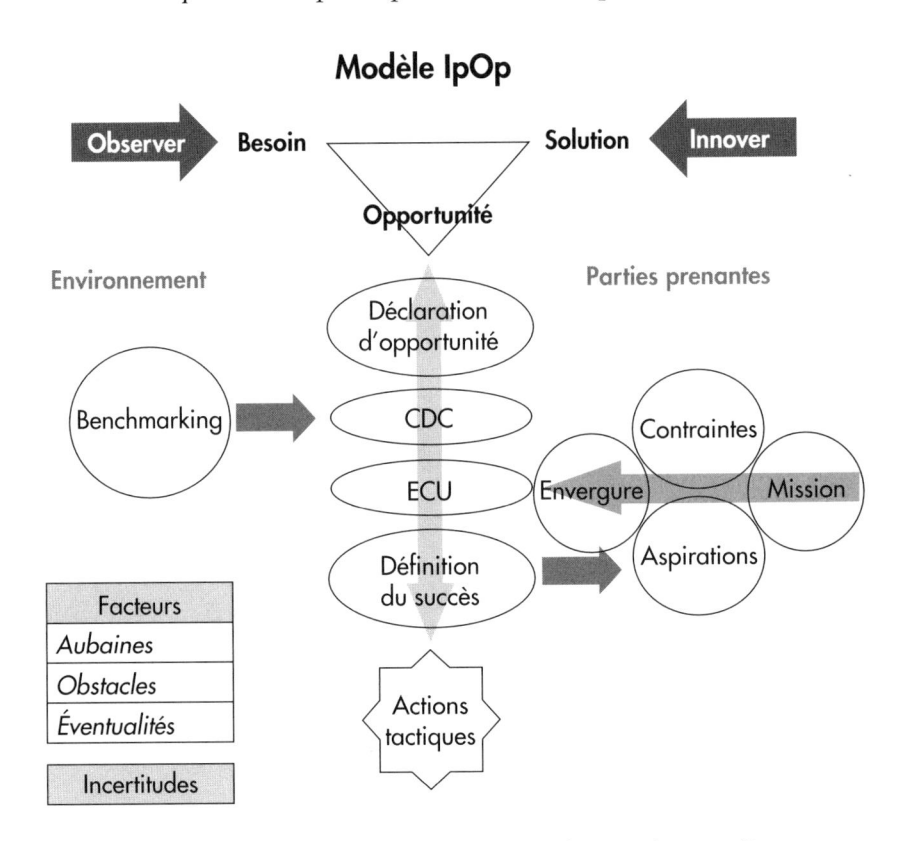

Figure 14 : Le plan d'actions est constitué d'une sélection d'actions tactiques permettant de concrétiser la définition du succès

Il faut enfin vérifier que les ressources nécessaires pour mettre en œuvre les actions tactiques retenues sont bien disponibles. Si ce n'est pas le cas, il serait opportun de modifier le choix des actions tactiques en conséquence.

Actions tactiques de Nespresso Classic

Toutes ne sont pas mentionnées ici.

Actions tactiques	Utilité, avantages retirés
Marque et entité séparées de Nestlé	Augmenter l'agilité de Nespresso en limitant les contraintes organisationnelles propres à une multinationale Adopter un positionnement « luxe » Réduire, en cas d'échec, l'impact négatif sur l'image de Nestlé Éviter que la stratégie commerciale de Nespresso n'ait un impact négatif sur celle de Nestlé
Conception technique des machines par Nespresso	Obtenir une adéquation parfaite des machines aux capsules Maîtriser la chaîne de production et la qualité
Design homogène de toutes les machines gérées par Nespresso	Gérer l'expérience vécue par le consommateur Uniformiser l'image Intégrer de manière optimale le design et les fonctionnalités de chaque machine
Gamme variée de machines (six modèles de base déclinés en près de quatre-vingt-dix versions)	Donner aux consommateurs et aux partenaires-machine la possibilité de personnaliser leurs machines Proposer des niveaux de fonctionnalités différents sans faire de concession sur la qualité du café
Fabrication par un producteur unique de toutes les machines commercialisées par les partenaires-machine	Maîtriser la qualité des machines Réduire la dépendance envers les partenaires-machine Éviter la dissémination du savoir-faire pour la production des machines

Centralisation de la production des capsules	Éviter la dissémination du savoir-faire pour la production des capsules Maîtriser la qualité des capsules Réaliser des économies d'échelle
Achat et contrôle des matières premières dans les pays producteurs	Favoriser un approvisionnement équitable Maîtriser l'intégralité de la chaîne de production Sélectionner les produits les plus adaptés
Positionnement « luxe » et symbole de statut social	Lever la résistance au prix et réaliser une marge plus importante Se démarquer de la concurrence qui a un positionnement « produit de consommation courante »
Déploiement international rapide	Rester leader à l'échelle mondiale Satisfaire les ambitions de Nestlé en matière de croissance
Site Internet très dynamique	Développer l'intimité-client Approvisionner des marchés sur lesquels aucune filiale n'a encore été créée Diffuser des produits dérivés
Lancement du magazine Nespresso (tirage en 2005 : 800 000 exemplaires)	Développer l'intimité-client Développer les partenariats avec des annonceurs Développer la notoriété de la marque Faciliter l'éducation des consommateurs
Boutiques de vente au détail	Proposer un canal de distribution supplémentaire Bénéficier d'une visibilité permanente Renforcer le positionnement « luxe » grâce aux emplacements retenus et au décor
Vente de produits dérivés	Augmenter la notoriété de la marque Gérer plus de dimensions affectant l'expérience vécue par le consommateur
Équipe proactive et très motivée	Exploiter toutes les opportunités sans subir les contraintes d'une grande entreprise (tout en profitant des avantages qu'elle apporte)

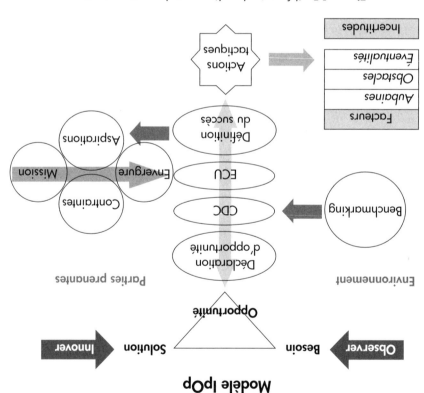

Modèle iPOp

Figure 15 : Il faut évaluer l'impact des actions tactiques sur la définition du succès ainsi que sur les facteurs

Les actions tactiques suicidaires

Certaines actions tactiques peuvent ne pas donner les résultats escomptés ou même être contre-productives. Elles sont souvent entreprises par ceux qui ont une mauvaise compréhension du comportement humain.

Ignorer la résistance des êtres humains à accomplir certaines choses peut mener à l'échec. Voici quelques cas classiques de résistance.

Résistance à	Exemples	Résultat
Apprendre quelque chose de nouveau	Le clavier AZERTY ou QWERTY	Il existe des méthodes nettement plus performantes pour la saisie de textes, mais aucune n'a réussi à détrôner l'AZERTY (ou son équivalent dans d'autres pays)
Détruire ses actifs et son infrastructure	TGV (train à grande vitesse) français	Un nombre réduit de pays a adopté le TGV, car il nécessite le changement des rails ou la construction de nouvelles lignes
Dépendre d'un seul fournisseur	Linux contre Microsoft	Le succès de Linux peut partiellement être attribué à la résistance de certains utilisateurs au monopole de fait de Microsoft
Utiliser quelque chose qui est imposé	Le système de réservation Socrate de la SNCF	Les employés de la SNCF ont beaucoup résisté à la mise en œuvre du logiciel Socrate, du fait qu'il leur a été imposé
Payer pour ce qui devrait être gratuit	Abonnements sur Internet	Peu de services d'information ont réussi à convaincre un grand nombre d'internautes de payer l'obtention d'informations
Sacrifier son confort	Tri des déchets ménagers	Un faible pourcentage de consommateurs, hormis dans quelques pays « verts », a la discipline de trier ses déchets

Chapitre 13

Un plan pour ne pas rester en plan

La combinaison des actions tactiques doit aboutir à un plan d'action cohérent

---

Les points abordés dans ce chapitre

- *Un plan cohérent*
- *Des vérifications s'imposent*
- *Les effets collatéraux*

De l'efficacité de la planification

Le fermier Jones part en ville acheter des provisions pour sa ferme. Il s'arrête à la quincaillerie où il prend un seau et une enclume, puis chez le vendeur de bétail pour acheter deux poulets et une oie.

Il se demande alors comment faire pour tout ramener chez lui. Le vendeur lui suggère : « Pourquoi ne mettriez-vous pas l'enclume dans le seau, pour pouvoir prendre le seau dans une main, l'oie dans l'autre, et un poulet sous chaque bras ?

– Merci pour ce conseil ! » répond le fermier. Il l'applique et s'en va.

Sur son chemin, il rencontre une jeune fille, qui lui explique qu'elle est perdue et lui demande :

« Pourriez-vous me dire où se trouve le 1515 de la rue Mockingbird ?

– Eh bien, il se trouve que je vais rendre visite à mon frère qui habite au numéro 1516. Prenons un raccourci par cette ruelle. Nous mettrons deux fois moins de temps pour y arriver, répond le fermier.

– Comment puis-je être sûre que lorsque nous serons dans la ruelle, vous ne me plaquerez pas contre le mur pour m'enlever ma robe et me violer ? s'inquiète la jeune fille.

– Je transporte un seau, une enclume, deux poulets et une oie. Comment pourrais-je le faire ? rétorque le fermier.

– Posez l'oie par terre, mettez le seau par-dessus l'oie, mettez l'enclume au-dessus du seau et je tiendrai les poulets », réplique la jeune fille.

Le plan d'action correspond à la combinaison structurée de toutes les actions tactiques retenues. En d'autres termes, il définit le chemin qui va de la situation actuelle à la situation décrite par la définition du succès.

Un plan cohérent

Les actions tactiques de même nature peuvent être regroupées par fonction. Selon leur rôle, elles peuvent donc participer à la politique :

- marketing (marque, segmentation de la clientèle, emballage…) ;
- de vente et de distribution (vendeurs, service après-vente…) ;
- de production (sous-traitance, contrôle de la qualité…) ;
- d'approvisionnement (achats, stockage, logistique…) ;
- financière (gestion de la trésorerie, investissements…) ;
- de recherche et développement (sur site ou en externe, budget…) ;
- de ressources humaines (choix du personnel, autonomisation, formation, conditions de travail…) ;
- de gestion (administration, informatique, audit…) ;
- juridique (structure juridique retenue, contrats…) ;
- fiscale (avantages fiscaux, subventions…).

Il est intéressant de relever que ce regroupement correspond aux rubriques censées figurer dans un *business plan* traditionnel. Un des principaux objectifs du plan d'action est d'éviter le syndrome JJMSJR[1].

La cohérence du plan est essentielle pour tirer le meilleur parti des actions tactiques retenues. Un manque de cohérence se traduit par un gaspillage de temps et d'argent. Les actions tactiques retenues doivent donc être non seulement compatibles entre elles, mais également coordonnées dans le temps. Positionner les actions tactiques sur un calendrier (diagramme de Gant) peut aider à visualiser le plan d'action.

---

1. J'essaye, j'essaye, mais sans jamais réussir.

L'analyse des corrélations entre les différentes actions tactiques permet de maximiser leur impact. Il pourrait être contre-productif d'annoncer un produit à la télévision avant qu'il ne soit véritablement disponible à la vente. D'autres actions tactiques ne peuvent être réalisées que lorsque certains objectifs ont été atteints ou certains facteurs matérialisés. Le recours aux outils de gestion de projet traditionnels[1] est recommandé pour gérer les interactions.

Pour certaines actions tactiques, il est nécessaire de prévoir un ou plusieurs plans B, si la situation n'évoluait pas comme prévu. Ces plans doivent être préparés bien à l'avance, afin de pouvoir réagir de manière appropriée face à une situation nouvelle ou à la matérialisation d'un risque, sans laisser place à l'improvisation.

La démonstration de la faisabilité du projet peut enfin contribuer à convaincre certaines parties prenantes. Un plan d'action qui inclut des actions visant à réduire les incertitudes sera toujours accueilli plus favorablement. L'élaboration d'un prototype peut aussi être utile dans la démonstration de faisabilité. Le temps et les ressources exigés pour la démonstration de faisabilité doivent être évalués.

Des vérifications s'imposent

Pour réussir, les projets ont besoin d'un « champion » et, si possible, d'une équipe forte. Le facteur humain est un facteur de succès évident, or il n'est pas toujours examiné avec la même rigueur que les autres paramètres. Peut-être est-ce dû au fait que les outils d'évaluation ne sont pas toujours disponibles ou efficaces… Cette question n'en reste pas moins cruciale, et il est vivement conseillé de l'intégrer dans son évaluation.

---

1. *Critical Path Analysis* (CPA) et *Program Evaluation and Review Techniques* (PERT).

Il est recommandé de procéder à ce stade à une vérification de la compatibilité du plan d'action avec la mission et les valeurs de l'organisation. Il arrive en effet que l'opportunité soit compatible avec la mission, alors que le plan d'action envisagé ne l'est plus. La vente d'espace publicitaire est compatible avec la mission d'un journal, alors que la vente de cet espace à des entreprises spécialisées dans la pornographie peut ne plus l'être.

Le soutien de la direction, pour un projet au sein d'une entreprise existante, peut sérieusement affecter la capacité à atteindre la définition du succès. Bon nombre de projets sont morts, parce que personne « en haut » ne s'est vraiment engagé à les soutenir. Il est donc essentiel de trouver un ou plusieurs parrains (*sponsors*) à un niveau hiérarchique suffisamment élevé.

Le plan d'action doit être en accord avec les procédures internes de l'entreprise, afin d'éviter des résistances et des confrontations douloureuses avec d'autres départements. Les procédures sont des contraintes.

Il faut aussi vérifier qu'il est possible de surmonter la résistance potentielle des utilisateurs à l'adoption du produit ou du service, en les incitant à modifier leur propre système, processus ou échelle de valeurs. Il s'agit d'un cas particulier de réduction des incertitudes.

Enfin, le plan d'action doit respecter toutes les contraintes et pas simplement celles liées aux procédures mentionnées ci-dessus (voilà pourquoi l'identification préalable des contraintes a été préconisée).

Les effets collatéraux

Entreprendre, c'est modifier un *statu quo* qui peut avoir des effets collatéraux. Il est opportun de les évaluer préalablement afin de ne pas avoir à faire face à des « surprises » douloureuses. Ces effets collatéraux se distinguent des facteurs, dans la mesure où ils sont induits par le plan d'action ou certaines de ses composantes. Accorder une exclusivité inconditionnelle de distribution à un revendeur qui a l'air efficace *a priori* peut être fatal s'il ne fait pas correctement son travail, il est alors impossible de passer par un autre canal de distribution.

Au sein d'une entreprise, l'impact du projet sur d'autres départements de l'organisation doit aussi être pris en compte. Une analyse des « territoires » s'impose. Si la distribution d'un nouveau produit exige la participation du département des ventes, ce paramètre doit être rapidement intégré dans la réflexion pour trouver les moyens de coopérer avec cette unité de manière efficace.

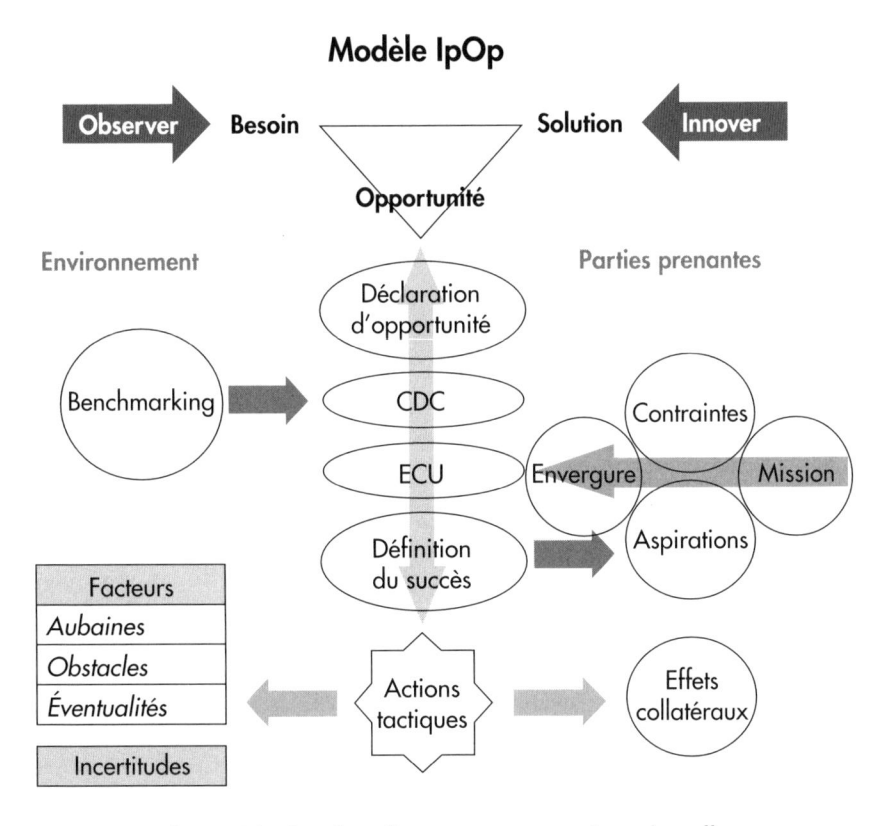

Figure 16 : *Le plan d'action peut entraîner des effets collatéraux qu'il faut évaluer préalablement*

Il est également souhaitable de vérifier qu'il n'existe pas de risque de « cannibalisation » d'une autre offre de l'entreprise afin de ne pas déclencher une guerre entre départements ou avec d'autres entités du groupe. EDF[1] pourrait tout à fait envisager la fourniture de services Internet par le biais de son réseau électrique. Même si cette opportunité est compatible avec sa mission, sa mise en œuvre pourrait conduire à une situation de concurrence avec sa société sœur, France Télécom.

Une évaluation du risque global que représente le projet est opportune. Il est essentiel de savoir jusqu'où on peut aller et quelles seraient les conséquences au cas où la situation tournerait mal. Lorsque des risques se matérialisent, certaines entreprises n'ont d'autre choix que de fusionner ou de passer par un redressement judiciaire (ce fut le cas de plusieurs compagnies d'aviation après le 11 septembre 2001).

Les éventuels développements et applications apparentées devraient être précisés à ce stade, car ils peuvent donner une idée de l'évolution envisageable pour cette opportunité. Les améliorations et les développements futurs insèrent le projet dans une perspective plus vaste que celle qu'ont les premiers produits envisagés. L'extension au monde des entreprises est un développement significatif pour Nespresso, initialement destiné aux particuliers ; il en est de même pour la vente aux cafés, aux restaurants ou même aux compagnies d'aviation pour la classe affaires.

L'interruption éventuelle du projet a aussi un coût. Ce risque n'est pas toujours correctement évalué. L'arrêt ou le démantèlement de centrales nucléaires est un exemple d'effet collatéral illustrant bien la difficulté de changer de plan d'action. Se débarrasser d'une plateforme de forage peut aussi se révéler fort coûteux. Shell en a fait la rude expérience, avec des risques environnementaux qui sont venus s'ajouter au coût strictement économique.

---

1. Électricité de France.

Enfin, il est temps de se demander à nouveau si l'opportunité vaut la peine d'être saisie. Cette question évidente fait figure de dernier « test » avant de se jeter à l'eau. À cette étape, l'entrepreneur peut passer en revue tous les facteurs de succès critiques qu'il a identifiés et se demander si les efforts et les sacrifices à consentir valent vraiment la peine.

Une réponse positive implique un véritable engagement pour le projet. Cet engagement conduit également à renoncer à d'autres opportunités qui pourraient se présenter à l'avenir (le « coût d'opportunité »). L'entrepreneur est-il assez convaincu de cette opportunité pour dire « non » à d'autres ? C'est la dernière question assassine…

Chapitre 14

Le passage à la caisse

Les ressources sont le nerf de la guerre

Les points abordés dans ce chapitre

- *L'évaluation des ressources*
- *Projections financières*
- *L'obtention des ressources*

De l'intérêt d'avoir trouvé un pourvoyeur de ressources

Une jeune femme amène son fiancé à la maison pour qu'il rencontre ses parents. Après le dîner, la mère demande à son mari d'essayer d'en savoir un peu plus sur le jeune homme. Le père invite donc le fiancé à le suivre dans son bureau pour prendre un verre.

« Alors, quels sont vos plans ? lui demande-t-il.

– J'étudie la Thora et la Bible, répond le jeune homme.

– Vous étudiez la Thora et la Bible. Hmmm, dit le père. C'est admirable, mais que ferez-vous pour offrir une jolie maison à ma fille afin qu'elle puisse vivre comme elle y a été habituée ?

– J'étudierai, répondit le jeune homme, et Dieu y pourvoira.

– Et comment lui payerez-vous la belle alliance qu'elle mérite ? insiste le père.

– Je me concentrerai sur mes études, réplique le jeune homme, et Dieu y pourvoira.

– Et les enfants ? interrogea le père, Comment allez-vous les élever ?

– Ne vous inquiétez pas monsieur, Dieu y pourvoira. »

La conversation continue de cette manière et à chaque question du père, le jeune idéaliste répond : « Dieu y pourvoira ».

Plus tard, la mère demande à son mari : « Alors, comment cela s'est-il passé, chéri ? »

Il lui répond : « Il n'a pas de travail, il n'a pas de projets, mais la bonne nouvelle, c'est que grâce à lui, j'ai réalisé que j'étais Dieu. »

L'entrepreneur élabore son projet sans se préoccuper de savoir si les ressources nécessaires sont disponibles (s'il abordait son projet avec une conscience trop précise des ressources disponibles, ce filtre l'empêcherait d'envisager son réel potentiel). C'est la raison pour laquelle les questions d'argent et de ressources n'ont pas été abordées jusqu'à présent dans le modèle IpOp. L'heure est maintenant venue.

Pour les porteurs de projet au sein d'une entreprise, un projet attractif est en principe un projet qui :

- **soutient la stratégie** de l'entreprise et contribue véritablement à la réalisation de ses objectifs ;
- **est en accord avec les contraintes** de l'entreprise sans entraîner des « réactions » politiques ou « immunitaires » trop fortes ;
- **procure un avantage concurrentiel** à l'entreprise ;
- **a des chances de réussite raisonnables** en tenant compte des facteurs clés du succès ainsi que de l'équipe qui va assurer sa mise en œuvre ;
- **dégage un retour sur investissement** suffisamment attractif.

Si ces conditions sont remplies et si l'entreprise ne souffre pas d'un problème de trésorerie ou n'est pas dans une situation particulièrement difficile, la direction réussira en général à mettre à disposition les ressources nécessaires pour réaliser le projet.

Pour les start-up ou les entrepreneurs, un projet attractif permettra aussi bien aux investisseurs qu'aux porteurs du projet d'atteindre leurs objectifs respectifs, en plus des éléments cités ci-dessus.

L'évaluation des ressources

Les ressources nécessaires à l'exécution du plan d'action correspondent à la somme des ressources requises pour concrétiser chacune des actions tactiques prévues. Disponibles gratuitement ou payantes, elles peuvent être de différente nature : savoir-faire, personnes, argent, équipements, locaux, réseaux, etc. Certaines actions tactiques peuvent même nécessiter des partenariats ou l'accès à certains segments du marché.

Cette analyse aboutit finalement à un budget qui détermine les fonds nécessaires pour atteindre la définition du succès. Le budget n'est rien d'autre que le reflet des conséquences financières du plan d'action.

Si les ressources totales nécessaires à l'exécution du plan d'action dépassent celles qui sont disponibles – ou si leur obtention paraît peu probable –, **alors le plan d'action doit être amendé** jusqu'à ce qu'il soit raisonnablement réalisable avec le budget. Les allers-retours entre budget et plans obligent à une confrontation avec la réalité. Pour être valable, un plan d'action doit être rentable **et** finançable.

Une version « allégée » du plan d'action implique vraisemblablement une réduction des objectifs initialement visés. Afin de maintenir sa crédibilité, l'entrepreneur doit finalement aligner la définition du succès sur le plan d'action, qui lui-même aura été aligné sur les ressources. En l'absence de miracles, cette exigence de cohérence entre ressources, plan et définition du succès est une évidence malheureusement trop souvent ignorée.

La comparaison des bénéfices escomptés et des ressources nécessaires est un facteur de décision incontournable. Les entités à but lucratif mettent en rapport la récompense financière (le bénéfice net) avec les fonds engagés dans un projet. Cette rentabilité des investissements (ROI[1]) permet de juger si l'allocation des ressources est justifiée sur un plan économique. Les organisations à but non lucratif et du secteur public mesurent l'intérêt d'un projet avec d'autres critères ou indicateurs que le bénéfice. Il peut s'agir de la réduction des coûts, de l'amélioration des performances ou des conditions de travail, d'une augmentation de la satisfaction des usagers ou encore de la qualité des prestations.

---

1. *Return On Investment.*

Projections financières

La préparation d'un budget prévisionnel complet est un exercice laborieux, mais indispensable. Il doit intégrer les ressources nécessaires pour pouvoir exécuter le plan d'action, et inclure au moins :

- la projection des comptes de résultat (pertes et profits) pour diverses périodes ;
- le bilan prévisionnel pour la fin de chaque période considérée ;
- un budget de trésorerie détaillé (cash-flow).

Le budget de trésorerie tient compte du facteur temps (délai de paiement des factures des fournisseurs, d'encaissement des factures adressées aux clients, de règlement des charges financières, etc.). Pour avoir une vision réaliste de la situation, il est recommandé d'établir un budget de trésorerie sur une base trimestrielle, voire mensuelle. Des intervalles plus longs peuvent conduire à des « moyennes » susceptibles d'occulter des besoins de trésorerie plus élevés, ponctuels mais bien réels.

Le budget de trésorerie met en évidence le montant maximum dont aura besoin le porteur de projet. Les besoins en liquidités vont croissant, depuis le lancement du projet jusqu'au moment où l'activité dégage des encaissements supérieurs aux débours. Le cumul des déficits de trésorerie de toutes les périodes considérées correspond à la mise de fonds nécessaire pour éviter un « trou » de trésorerie.

L'obtention des ressources

Le manque de ressources est souvent présenté comme le plus grand obstacle des start-up ou des projets au sein d'une entreprise. Même si c'est parfois vrai, les projets vraiment attractifs et bien présentés parviennent malgré tout généralement à obtenir les ressources dont ils ont besoin. Aboutir à une présentation convaincante justifie la nécessité d'une réflexion préalable de qualité.

La recherche des ressources doit être dirigée vers des personnes réceptives. De nombreux entrepreneurs ne sont pas suffisamment lucides pour évaluer de manière réaliste l'attractivité de leur projet : ils ont tendance à croire que ce qui leur paraît attractif l'est également pour les autres parties prenantes. Par ailleurs, il arrive aussi qu'ils ne possèdent pas un réseau de contacts suffisant pour identifier les bons interlocuteurs.

La disponibilité des ressources attribuées au projet est bien évidemment un facteur clé de succès. Attention, leur allocation officielle ne signifie pas qu'elles seront effectivement disponibles le moment venu. En effet, dans de nombreuses organisations, les priorités ainsi que l'attribution des ressources peuvent varier. Dans la phase de planification, il est donc conseillé d'identifier :

- les ressources nécessaires ;
- le calendrier de leur mise à disposition ;
- les entités qui peuvent les fournir (et des solutions de rechange) ;
- les motivations des fournisseurs de ressources (*What is in it For Me* ou *WiiiFM*[1]).

En comprenant ce qui pousse les gens à fournir des ressources, on les obtient plus facilement. Le drame est que les porteurs de projets sont souvent tellement obsédés par leur propre besoin d'argent, qu'ils n'arrivent pas à prendre assez de recul pour se mettre à la place des détenteurs de ressources, dont ils sont pourtant désespérément dépendants.

Les fonds nécessaires peuvent être obtenus par divers moyens : augmentations ou injections de capital, prêts participatifs[2] fournis par les

---

1. « Que vais-je en retirer ? » ou « ce qui est bon pour moi ». La motivation est en grande partie influencée par les avantages dont peuvent profiter les personnes concernées.
2. Un prêt participatif est un prêt qui est rémunéré par un pourcentage sur l'activité (sur le bénéfice, sur le chiffre d'affaires ou sur un autre indicateur) au lieu d'être rémunéré par un taux d'intérêt fixe ; c'est une manière d'intéresser les bailleurs de fonds au succès sans faire d'eux des associés jouissant de droits sociaux.

fondateurs ou les investisseurs, prêts bancaires, etc. La recherche des fonds représente habituellement une excellente « opportunité » de pratiquer ses talents de négociateur avec les bailleurs de fonds… mais ce n'est pas le propos de cet ouvrage. Le modèle IpOp y contribue néanmoins, car un plan d'action cohérent a de meilleures chances de convaincre un investisseur qu'un plan qui ne repose pas sur une solide analyse stratégique.

Trop nombreux sont les entrepreneurs qui se lancent alors qu'ils n'ont pas à leur disposition les ressources dont ils ont besoin. Ils pensent qu'ils seront capables de les réunir ultérieurement et oublient qu'étant hautement chronophage, la recherche de fonds les empêchera de s'occuper du développement de leurs affaires. Cet acte de foi peut être coûteux, à moins qu'ils aient de bonnes raisons de croire que le fait d'atteindre des objectifs intermédiaires augmentera substantiellement l'attractivité de leur projet. À défaut, l'espoir et la prière ne suffisent que rarement. Mieux vaut donc renoncer à dépenser de l'énergie et de l'argent, si c'est pour arriver à un stade où, de toute manière, il faudra tout abandonner.

Idéalement, les entrepreneurs devraient essayer d'obtenir un engagement conditionnel pour les fonds ou les ressources dont ils auront besoin plus tard. La réalisation de certains objectifs convenus d'avance est alors utilisée comme critère pour débloquer une nouvelle tranche de ressources et, éventuellement, une nouvelle valorisation de l'entreprise. Cette approche par jalons est bien plus saine que de dépenser une énergie considérable à lever des fonds par le biais d'étapes de financement multiples. Elle n'est envisageable qu'avec un plan d'action très bien conçu.

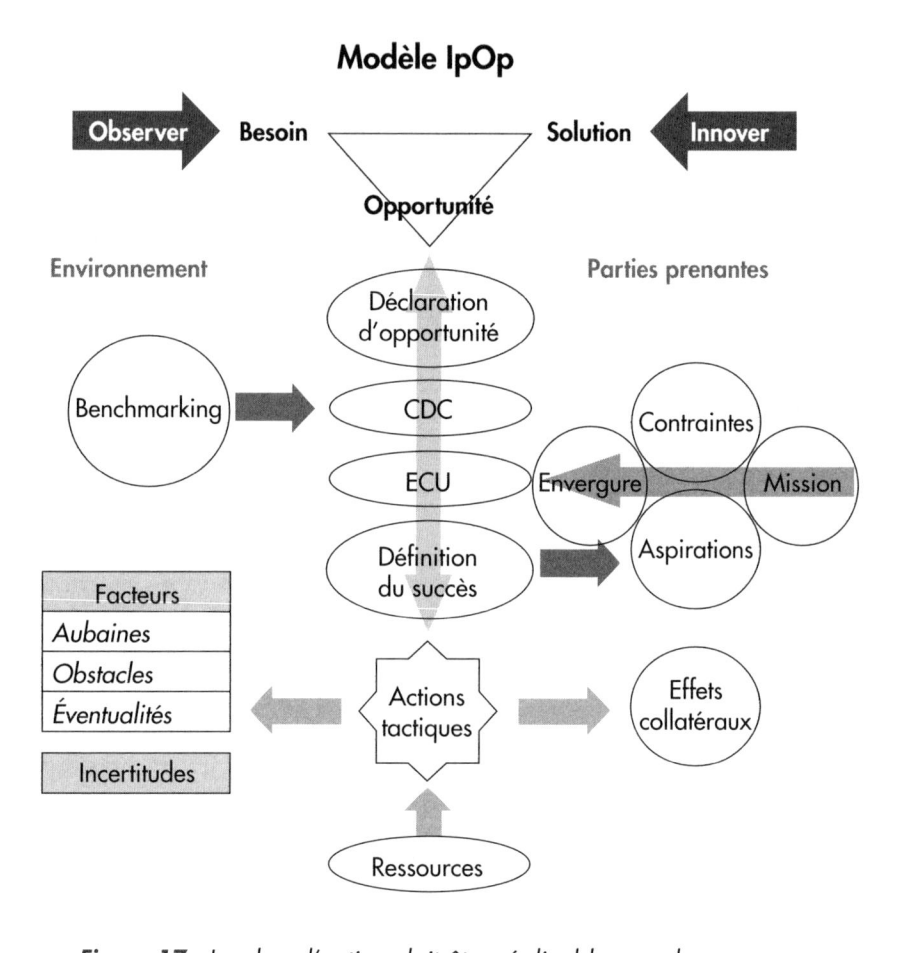

Figure 17 : *Le plan d'action doit être réalisable avec les ressources disponibles – ou à recevoir –, de manière à matérialiser la définition du succès*

Chapitre 15

Pourquoi faire du IpOp ?

Une utilisation pertinente du modèle IpOp augmente la probabilité de réussite d'un projet

---

Les points abordés dans ce chapitre

- *A-t-on les moyens d'échouer ?*
- *Les avantages du modèle IpOp*
- *Les limites du modèle IpOp*

De l'inévitabilité des surprises

Dieu dit : « Descends dans cette vallée. »

Adam demanda : « Qu'est-ce qu'une vallée ? »

Alors Dieu lui expliqua et dit : « Traverse la rivière. »

Adam demanda : « Qu'est-ce qu'une rivière ? »

Alors Dieu lui expliqua et dit : « Monte sur la colline. »

Adam demanda : « Qu'est-ce qu'une colline ? »

Alors Dieu lui expliqua et dit : « De l'autre côté de la colline, tu trouveras une caverne. »

Adam demanda : « Qu'est-ce qu'une caverne ? »

Alors Dieu lui expliqua et dit : « Dans la caverne, tu trouveras une femme. »

Adam demanda : « Qu'est-ce qu'une femme ? »

Alors Dieu lui expliqua et dit : « Je veux que tu te reproduises. »

Adam demanda : « Comment faire ? »

Alors Dieu lui expliqua.

Adam partit, descendit dans la vallée, traversa la rivière, monta sur la colline, entra dans la caverne, trouva la femme et quelques minutes plus tard, il était de retour.

Dieu, furieux, lui demanda : « Que se passe-t-il encore ? »

Adam répondit : « Qu'est-ce qu'une migraine ? ».

Les concepts expliqués dans les chapitres précédents constituent la trame du modèle IpOp. L'utilisation d'un tel modèle est-elle indispensable ? La vraie question est celle du coût de l'échec…

A-t-on les moyens d'échouer ?

Si l'échec ne coûte rien, alors on peut faire l'économie de l'effort de rigueur requis par le modèle IpOp. Si au contraire l'échec peut avoir des conséquences funestes, la sagesse incite à faire appel à un modèle de réflexion stratégique susceptible de réduire la probabilité de l'échec.

IpOp est un modèle conceptuel, qui structure la pensée et la réflexion relative à l'innovation, au même titre que l'analyse SWOT contribue à la réflexion stratégique. De nombreux porteurs de projets font intuitivement ce qu'IpOp modélise et peuvent donc se passer de modèle. D'autres choisissent d'utiliser un modèle afin de s'assurer qu'ils n'oublient pas un élément critique. Si certains l'utilisent intégralement, d'autres n'ont recours qu'à certaines de ses composantes, en se fiant à leur intuition pour le reste. L'équation se résume au rapport efforts requis/ augmentation des chances de succès.

Renoncer à un projet peut être une bénédiction. Le lancement de n'importe quel projet exige un effort qu'on peut qualifier d'investissement, que ce soit en argent, en temps, en frustration, en perte de crédibilité, ou même en coût d'opportunité. Quand le projet échoue, l'investissement se transforme en « perte ».

Les avantages du modèle IpOp

Le modèle IpOp est un outil de validation. Il peut notamment être employé comme filtre pour éliminer les projets qui ne valent pas la peine d'être lancés. Plus vite on les détecte, mieux c'est : plus on attend, plus on alloue des ressources, et plus on gaspille en cas d'échec. Si l'approche systématique du modèle IpOp amène le porteur de projet à analyser son projet avec rigueur, elle devrait le conduire à identifier ses faiblesses pour y remédier – ou à confirmer le potentiel de son projet. Le porteur de projet et son équipe peuvent ainsi se rendre compte de son intérêt réel.

En évitant de présenter des projets faibles aux parties prenantes, comme la direction ou les investisseurs, l'entrepreneur épargne sa crédibilité et son image. Le fait de savoir qu'un modèle peut contribuer à mettre en évidence les éventuelles faiblesses d'une idée encourage par ailleurs ceux qui l'ont eue à la « creuser » sans s'exposer encore aux foudres des parties prenantes. IpOp joue en quelque sorte le rôle de « parachute » pour les innovateurs.

Le modèle IpOp est également un outil de maturation. Quand un projet a survécu à la « moulinette » IpOp, cela signifie qu'il a gagné en maturité. Cette préparation aboutit à augmenter la conviction et la confiance en soi du porteur de projet et à lui donner assez de munitions pour proposer le projet aux parties prenantes. Un projet plus mûr a moins de risques d'être rejeté.

Le modèle IpOp prépare le porteur de projet à répondre aux questions critiques. Comme de nombreux innovateurs ont peur de ne pas pouvoir correctement répondre à toutes les questions de leur direction, ils optent pour la sécurité en renonçant à présenter leur idée. Le modèle IpOp leur permet de se préparer à la plupart des questions susceptibles d'être posées par leurs supérieurs. Ils gagnent ainsi en confiance avant le « jugement dernier ».

Le modèle IpOp fournit un vocabulaire et un langage communs à tous ceux qui auront à faire avec l'innovation. Les concepts présentés dans le modèle IpOp ne sont pas particulièrement nouveaux, au sens où ils ont généralement été utilisés dans des contextes différents. Les facteurs dans l'analyse SWOT font référence à des forces, des faiblesses, des opportunités et des menaces, alors que dans le modèle IpOp, les facteurs sont des obstacles, des éventualités et des aubaines. S'il peut y avoir des « chevauchements » entre ces langages, il subsiste néanmoins des nuances. En adoptant la terminologie IpOp, les acteurs de l'innovation disposent d'un langage commun qui facilite les échanges et la coopération.

Le modèle IpOp rend explicite ce qui est souvent implicite, et pousse ainsi au débat et à la réflexion. Ce sont souvent les non-dits qui font trébucher les projets : ce qui n'est pas énoncé clairement peut faire l'objet d'interprétations différentes ou même ne pas être pris en compte dans l'analyse. Le modèle tient ainsi lieu de vecteur de communication mettant à plat les questions clés. Quand tout fonctionne correctement, personne ne se plaint, mais lorsque les choses tournent mal, on entend souvent les victimes dire qu'elles « auraient dû y penser avant ». Elles reconnaissent en quelque sorte que des points implicites sont restés dans l'ombre ou que leur précipitation les a conduits à faire l'impasse sur la réflexion.

Expliciter les hypothèses de travail et tous les paramètres de l'innovation est indispensable pour une évaluation réaliste de son potentiel et de ses risques. Les incertitudes en sont un très bon exemple : la plupart des porteurs de projet se dispensent de préciser les incertitudes qui peuvent miner leur projet. Or, les exprimer et les analyser augmente leur crédibilité. En agissant ainsi, ils démontrent qu'ils sont réalistes, honnêtes et conscients de ce qui peut les conduire à l'échec.

La démarche du modèle IpOp n'est pas un processus linéaire bien que, pour des raisons pédagogiques, il ait été présenté ainsi dans cet ouvrage. Même en abordant le processus IpOp étape par étape, les utilisateurs se rendent rapidement compte qu'ils ont à revenir en arrière car, au fur et à mesure de leur réflexion, ils vont changer leur point de vue sur des sujets déjà traités. En établissant les actions tactiques, ils penseront à un facteur qu'ils n'avaient pas identifié lors de leur réflexion sur les facteurs et le rajouteront à ce moment-là. Inversement, l'identification d'un risque peut suggérer une ou plusieurs actions tactiques susceptibles de le prévenir ou d'atténuer ses conséquences. Il est utile de les noter à ce moment-là pour éviter de les oublier par la suite. L'emploi d'un logiciel facilite considérablement cette approche interactive de va-et-vient, en optimisant l'utilisation du modèle IpOp (voir l'annexe en fin d'ouvrage).

Les limites du modèle IpOp

La pertinence des résultats issus du modèle IpOp est fonction de la qualité des données qui ont été utilisées, comme avec n'importe quel autre modèle[1]. Pour être efficace, les utilisateurs doivent donc disposer des bonnes informations pour chaque étape du modèle :

- pour faire le benchmarking, il faut avoir assez d'informations sur les capacités de la concurrence ;
- pour analyser les aspirations des parties prenantes, il faut bien les connaître ;
- pour exprimer la définition du succès, il faut connaître la taille du marché et son potentiel ;
- pour évaluer la faisabilité de certaines actions tactiques, il faut savoir quelles sont les ressources nécessaires et les ressources disponibles ;
- etc.

Une bonne compréhension des concepts du modèle IpOp est indispensable pour tirer le meilleur parti de la méthode. Si ce n'est pas le cas, les résultats obtenus ne seront vraisemblablement pas pertinents. La maîtrise des différents outils du modèle requiert de la pratique, comme pour n'importe quelle méthode.

Le modèle IpOp n'est pas une recette miracle qui peut être appliquée de manière mécanique ou déterministe. Même avec la meilleure planification possible, le succès n'est pas garanti, car personne n'est à l'abri des surprises. L'utilité du modèle tient surtout au fait qu'il aide à

---

1. *Garbage in, garbage out* pourrait se traduire par « mauvaise information, mauvais résultat ».

gérer ce qui, dans le cadre d'une réflexion préalable, est prévisible. Il est donc particulièrement indiqué pour éviter les échecs anticipables et réduire les regrets du type « j'aurais dû y penser avant… ».

Le modèle IpOp n'a, à ce stade, recours à aucun modèle mathématique ou quantitatif. Une approche quantitative pourrait donner l'impression – fausse – que les décisions sont prises scientifiquement ou objectivement parce qu'elles se fondent sur des données numériques, même si ces valeurs sont attribuées de manière subjective. Les approches quantitatives peuvent être pertinentes pour certains modèles de décision, mais elles ne nous semblent pas appropriées pour l'analyse stratégique des projets innovants. La quantification peut donner un faux sentiment de sécurité. Songez qu'une température moyenne de 37 °C n'est pas forcément un indicateur fiable de l'état de santé d'un individu qui a la tête dans un four et les jambes dans un congélateur…

Chapitre 16

L'art de faire la cour

Le plan d'affaires qui n'obtient pas le soutien des parties prenantes clés est condamné au « classement vertical[1] »

Les points abordés dans ce chapitre

- *Le plan d'affaires*
- *L'*opportunity case
- *La rédaction de l'*opportunity case
- *Et après ?*

---

1. La poubelle…

De l'art de présenter les choses

Jean et Marc sortent d'un service religieux. Marc se demande s'il peut fumer en priant. Jean lui suggère : « Pourquoi ne demandes-tu pas au curé ? »

Marc va voir le curé et lui pose la question suivante :

« Monsieur le curé, puis-je fumer durant ma prière ?

– Non, mon fils, tu ne peux pas. Ce serait un manque total de respect pour notre religion », lui répond le curé.

Marc rapporte les propos du curé à son ami, qui lui dit : « Je ne suis pas surpris, tu as posé la mauvaise question. Laisse-moi essayer ! »

Il va voir le curé et lui demande : « Monsieur le curé, puis-je prier lorsque je fume ? »

À cela le curé répond avec passion : « Certainement, mon fils, certainement. »

La plupart des entrepreneurs croient qu'un plan d'affaires (*business plan*) bien rédigé est le meilleur moyen d'obtenir le soutien des parties prenantes (les investisseurs), dont leur sort dépend. C'est certes une façon de courtiser les décideurs, mais ce n'est certainement pas la seule, et probablement pas la meilleure.

Le plan d'affaires

Le but du plan d'affaires est d'expliquer la manière dont le projet sera mis en œuvre. Il devrait en fait décrire :

- la situation actuelle ;
- les conditions qui rendent la définition du succès possible (y compris l'analyse du marché) ;
- le plan d'action permettant d'atteindre la définition du succès ;
- les ressources requises pour mettre en application le plan d'action ;
- les ressources humaines disponibles pour y parvenir et celles qui doivent être recrutées ;
- les paramètres financiers ;
- les résultats attendus du plan d'action, donc la définition du succès.

Le plan d'affaires[1] **correspond généralement à la synthèse des différentes politiques à mettre en œuvre :** marketing, production, finance, etc. De nombreux porteurs de projets se lancent dans la rédaction de leur plan d'affaires sans avoir préalablement élaboré un plan d'action abouti. Ils utilisent le plan d'affaires comme véhicule de réflexion pour créer et affiner leur plan d'action. Or la structure du plan d'affaires (par politique) requiert une approche synthétique, qui ne favorise pas la créativité requise pour mettre en place le plan d'action.

---

1. Nombreux sont les ouvrages qui expliquent très bien comment rédiger un plan d'affaires. Nous nous abstiendrons donc de le faire à notre tour.

Le plan d'affaires ne devrait être écrit que lorsque les parties prenantes ont confirmé leur intérêt pour le projet (par exemple après réception d'une lettre d'intention précisant leurs souhaits et les conditions à satisfaire). Il n'y a aucune raison valable d'écrire un plan d'affaires si aucune des parties prenantes clés n'est réellement intéressée. Il peut même arriver que des décideurs renoncent à demander un plan d'affaires lorsque le contenu de l'*opportunity case* (voir plus loin) les a satisfaits.

La rédaction du plan d'affaires est considérablement accélérée si le projet a été élaboré avec le modèle IpOp, car la majeure partie du contenu du plan d'affaires peut être extraite des étapes précédentes. Il suffit de structurer la réflexion par politique pour respecter l'articulation du plan d'affaires. Les actions tactiques retenues constituent en particulier l'épine dorsale du plan d'actions, exprimé par le plan d'affaires.

Le résumé exécutif (*executive summary*) du plan d'affaires est conçu pour séduire ceux qui n'ont pas de temps à consacrer à la lecture d'un plan d'affaires. Autrement dit, il doit servir d'appât pour leur donner envie de lire l'intégralité du document. Certains prétendent que ce résumé exécutif ne devrait pas excéder une page, tandis que d'autres tolèrent trois ou quatre pages.

Or ces quelques pages ne sont généralement pas suffisantes pour répondre aux questions clés que se posent les décideurs. En effet, la plupart des parties prenantes ne sont pas intéressées par le niveau de détail fourni dans le plan d'affaires, et le contenu du résumé exécutif n'est pas focalisé sur leurs préoccupations (puisque c'est un « résumé » !).

L'*opportunity case*

Pour présenter aux parties prenantes ce qu'elles attendent, il existe un document plus approprié que nous appelons *opportunity case* (certains l'appellent *business case*). Ce document répond à la question

« Pourquoi ? » et laisse au plan d'affaires le soin de répondre à la question « Comment ? »

L'objectif de l'*opportunity case* est de répondre aux questions essentielles des décideurs. Nous pouvons donc nous inspirer de l'arbre de décision présenté dans le chapitre 3. Afin de faciliter la lecture du document, l'argumentation est présentée selon un ordre respectant la logique des décideurs. Il n'y a pas de règle absolue en la matière. Le modèle suivant peut néanmoins être adapté à chaque situation :

- Quelle est l'opportunité ?
- Quels sont les besoins qui ne sont actuellement pas satisfaits ou les défis à relever ?
- Quelle est la solution proposée pour satisfaire ces besoins ?
- Quels sont les avantages concurrentiels de cette solution par rapport aux alternatives (exprimés sur la base des CDC) ?
- Quels sont les avantages et les bénéfices pour chaque segment de clientèle concerné ?
- Quels sont les avantages et les bénéfices que cette solution apporte aux parties prenantes clés ?
- Quel est le potentiel du marché et quels sont les objectifs visés ?
- Quels seront les revenus dégagés et selon quel modèle économique ?
- Quels sont les facteurs critiques du succès ?
- Quels sont les risques et les barrières à l'entrée (ainsi que les stratégies pour les gérer) ?
- Quelles sont les incertitudes ?
- Quelles sont les ressources nécessaires pour réussir et comment pourront-elles être obtenues ?
- Quelles sont les prochaines grandes étapes ?
- L'équipe qui va réaliser le projet est-elle capable de le mener à bien ?
- Qu'attend-on spécifiquement des décideurs pour aller de l'avant ?
- etc.

Un *opportunity case* doit être focalisé sur les préoccupations des parties prenantes afin d'obtenir leur adhésion. Comprendre la psychologie des lecteurs[1] est d'un grand secours. Il faudra présenter les choses différemment à un décideur émotionnel et à un décideur de type rationnel[2]. L'intelligence concurrentielle peut contribuer à une meilleure identification de ce qui motive les parties prenantes.

Un *opportunity case* peut facilement compter cinq à dix pages. Il peut tout à fait être consigné dans une présentation PowerPoint[TM] si l'on est plus à l'aise avec cette forme de communication. D'après notre expérience, un document bien écrit qui répond aux bonnes questions peut avoir n'importe quelle longueur pour autant qu'il aille à l'essentiel, sans répétitions inutiles.

La rédaction de l'*opportunity case*

La réponse à chacune des questions ci-dessus doit être suffisamment concise pour fournir au lecteur l'information qu'il attend sans le submerger de détails inutiles. Craignant parfois de donner l'impression de ne pas maîtriser le sujet, certains ont tendance à fournir trop de données, ce qui va à l'encontre du but recherché. Si le lecteur souhaite davantage d'informations, il les demandera en temps voulu. La règle à appliquer ici est donc : droit au but !

L'*opportunity case* doit inciter les lecteurs à poser des questions. Cela facilite la convergence de pensée : les parties prenantes qui poseront des questions confirment ainsi leur intérêt. Les porteurs de projets pourront aussi mieux comprendre leurs préoccupations.

L'objectif principal de l'*opportunity case* est d'obtenir une adhésion conditionnelle, sujette à vérification ou validation ultérieure. Cette

---

1. *Why Smart People Do Dumb Things*, Mortimer Feinberg et John J. Tarrant, Simon et Schuster, 1995.
2. Voir chapitre 3.

adhésion préliminaire est déjà une victoire importante : la première bataille est gagnée. Pour remporter la guerre, des explications complémentaires seront certainement exigées.

L'*opportunity case* doit permettre de contourner les réflexes de défense classiques qui peuvent être qualifiés de « tyrannies de la résistance » :

- la tyrannie des marchés servis : « nos clients actuels n'aimeront pas… » ;
- la tyrannie des modèles économiques établis : « ce n'est pas ainsi que nous avons l'habitude de gagner de l'argent » ;
- la tyrannie des distributeurs : « nos distributeurs n'aimeront pas… » ;
- la tyrannie de la stratégie en cours « nous ne sommes pas dans ce type d'activité » ;
- la tyrannie structurelle ou organisationnelle : « si ce projet ne peut pas être pris en charge par l'une de nos unités d'affaires, il n'a pas de place dans notre organisation » ;
- la tyrannie des contraintes financières arbitraires : « si ce projet ne peut pas générer X millions dans un délai de Y années, ce sera une perte de temps » ;
- la tyrannie du vocabulaire : « cette technologie (ou ce business), c'est du charabia pour nous ».

La rédaction de l'*opportunity case* est facile une fois le modèle IpOp appliqué. La plupart des questions de l'*opportunity case* trouvent leur réponse dans les diverses étapes du modèle IpOp et dans les projections financières.

L'*opportunity case* peut être considéré comme la mise en forme « présentable » d'une réflexion IpOp. L'essentiel du travail ayant déjà été accompli, sa rédaction n'exigera pas beaucoup de temps et d'énergie.

Il est vivement recommandé de planifier l'articulation de l'*opportunity case* avant d'en commencer la rédaction, afin de s'assurer que l'expérience du lecteur sera agréable.

Questions de l'opportunity case	Où trouver les réponses dans les étapes du modèle IpOp ?	Informations provenant des projections financières
Quelle est l'opportunité ?	Déclaration d'opportunité	
Quels sont les besoins qui actuellement ne sont pas satisfaits ou les défis à relever ?	Déclaration d'opportunité Citères de décision des clients (CDC)	
Quelle est la solution proposée pour satisfaire à ces besoins ?	Citères de décision des clients (CDC) Déclaration d'ECU	
Quels sont les avantages et les bénéfices pour le segment de clientèle concerné ?	Aspirations des parties prenantes Définition du succès Citères de décision des clients (CDC) Déclaration d'ECU	Profits ou parts de marché escomptés Retour sur investissement
Quels sont les avantages et les bénéfices que cette solution apporterait à d'autres parties prenantes clés ?	Aspirations des parties prenantes Définition du succès Citères de décision des clients (CDC) Déclaration d'ECU	
Quel est le potentiel du marché et quels sont les objectifs visés ?	Définition du succès	
Quels seront les revenus dégagés et selon quel modèle économique ?	Modèle d'affaires Déclaration d'ECU	Profits ou parts de marché escomptés, cash-flow

Questions de l'opportunity case	Où trouver les réponses dans les étapes du modèle IpOp ?	Informations provenant des projections financières
Quels sont les avantages concurrentiels de cette solution par rapport aux alternatives ?	Benchmarking Déclaration d'ECU Critères de décision des clients (CDC)	
Quelle est l'expérience client unique ?	Déclaration d'ECU	
Quels sont les facteurs critiques du succès (y compris CDC) ?	Facteurs Critères de décision des clients (CDC)	
Quels sont les risques et les barrières à l'entrée (et les stratégies pour les gérer) ?	Facteurs Actions tactiques	
Quelles sont les incertitudes et comment les réduire ?	Incertitudes Actions tactiques	
Quelles sont les ressources nécessaires pour réussir et comment pourront-elles être obtenues ?	Consolidation des ressources Actions tactiques	Budget de trésorerie
Quelles sont les prochaines grandes étapes ?	Actions tactiques	
Qui fait partie de l'équipe qui va réaliser le projet ?	Ressources	
Qu'attend-on spécifiquement des décideurs pour aller de l'avant ?		

La relation de confiance est essentielle pour obtenir l'adhésion, et l'*opportunity case* a notamment pour but de démontrer la convergence de pensée. Un *opportunity case* bien construit et bien écrit crée ce sentiment positif.

Le jargon technique et le vocabulaire des consultants sont à proscrire dans l'*opportunity case* (pour la plupart des publics cibles). Les mots retenus doivent donc être faciles à comprendre. Si le porteur de projet n'emploie pas le même vocabulaire que le lecteur, comment pourraient-ils se comprendre à l'avenir ?

L'*opportunity case* de Nespresso Business Solutions

Pour éviter de reprendre tels quels les arguments développés jusqu'ici pour le concept de Nespresso Classic destiné aux particuliers, nous avons choisi de présenter l'*opportunité case* de la variante destinée aux entreprises, Nespresso Business Solutions.

Quelle est l'opportunité ?

La consommation de café sur le lieu de travail est importante. Comme la préparation d'*expressos* prend non seulement du temps, mais requiert aussi un savoir-faire spécifique pour assurer une qualité satisfaisante, les entreprises se contentent de proposer du café filtre ou du café préparé par des automates. La qualité est donc limitée.

Le procédé Nespresso permet de contourner ces difficultés et de proposer, sur le lieu de travail, des *expressos*.

Quels sont les besoins qui ne sont pas actuellement satisfaits ou les défis à relever ?

Les besoins à satisfaire peuvent s'exprimer ainsi :

- la qualité du café actuellement disponible est inférieure à celle proposée par Nespresso ;
- les modalités de préparation du café en entreprise sont sensiblement moins agréables et conviviales que celles proposées par Nespresso Classic ;

- la préparation des cafés actuellement disponibles sur les lieux de travail prend plus de temps que par le procédé Nespresso ;
- les employés ne peuvent pas choisir l'arôme du café qu'ils consomment en entreprise et subissent le choix de leur employeur ;
- les collaborateurs ne sont pas assez valorisés par la consommation de café sur leur lieu de travail (image).

Comme les circuits de distribution pour les milieux professionnels sont différents de ceux des ménages, il serait souhaitable de mettre sur le marché des machines adaptées à l'usage professionnel.

Il faut par ailleurs tenir compte du fait que les employeurs sont préoccupés par la possibilité que certains collaborateurs puissent emporter à leur domicile les capsules offertes sur le lieu de travail (cela augmenterait le coût de la consommation de café).

Quelle est la solution proposée pour satisfaire ces besoins ?

Exploiter dans les milieux professionnels un nouveau procédé pour la production de café prédosé (Nespresso Business Solutions) avec des machines et des capsules différentes de celles vendues aux ménages, mais avec les mêmes avantages et capitalisant sur le savoir-faire et le modèle économique de Nespresso Classic.

Quels sont les avantages pour le segment de clientèle concerné ?

- En proposant une expérience très agréable (le café) sur le lieu de travail, l'entreprise contribue à la satisfaction de ses employés qui se sentent traités comme des VIP.
- Elle valorise ses collaborateurs en leur proposant un café de qualité supérieure.
- En proposant un choix d'arômes à ses collaborateurs, l'entreprise montre qu'elle s'intéresse au bien-être de ses employés.
- La préparation du café prédosé en *self-service* permet de renoncer à avoir un « préposé » pour le préparer.
- L'entreprise peut facturer tout ou partie de l'achat des capsules aux collaborateurs qui les achètent par paquets (ils n'ont plus à disposer de monnaie pour les automates).
- L'entreprise peut mieux appréhender la consommation individuelle de café (data mining).

Quels sont les avantages que cette solution apporterait à d'autres parties prenantes clés ?

Pour Nespresso

- Augmentation du chiffre d'affaires sur un nouveau segment de marché
- Lancement de machines sous la marque Nespresso (ce qui implique un gain de notoriété et une marge plus élevée)
- Présence et visibilité accrues dans les entreprises permettant de séduire de nouveaux clients pour la version destinée aux particuliers
- Établissement d'un lien direct avec ce segment de clientèle (intimité élevée résultant de la vente directe)
- Synergie possible avec le marché des fontaines à eau ou d'autres produits de Nestlé ciblant le monde professionnel
- Diversification du marché réduisant la vulnérabilité éventuelle du segment « ménages »
- Croissance favorisant la satisfaction des collaborateurs et les opportunités de progression de carrière

Pour le fabricant de machines

- Possibilité de développer son chiffre d'affaires et ses revenus

Pour les producteurs de café

- Augmentation de leur chiffre d'affaires et de leurs revenus

Pour Nestlé

- Rentabilité élevée
- Valorisation de la marque Nespresso
- Croissance organique
- Valeur d'exemple pour encourager les autres unités de Nestlé à innover et à explorer des modèles économiques alternatifs
- Ilustration auprès du public du leadership technologique et commercial de Nestlé
- Synergies possibles pour la distribution d'autres produits Nestlé susceptibles d'être vendus aux entreprises

Quel est le potentiel du marché et quels sont les objectifs visés ?

(Les objectifs indiqués ci-dessous sont fictifs, car les informations de Nespresso sont confidentielles.)

Indicateurs	1 an	2 ans	4 ans	6 ans
Chiffre d'affaires	100 millions	200 millions	500 millions	800 millions
Profit	10 millions	25 millions	70 millions	100 millions
Taux de satisfaction des clients	75 %	85 %	90 %	90 %

Quels seront les revenus dégagés et selon quel modèle économique ?

Le modèle économique du secteur professionnel est le même que celui du secteur « ménages ». Aucun investissement significatif en infrastructure n'est de ce fait à prévoir.

La source principale des revenus provient de la vente des capsules à haute valeur ajoutée.

La principale différence tient au fait que les machines sont vendues sous la marque Nespresso et que leur commercialisation s'effectue en direct, sans passer par des partenaires-machines. Cela signifie que le maillon « commercialisation des machines » doit être assuré par Nespresso.

Quels sont les avantages concurrentiels de cette solution par rapport aux alternatives ?

Le benchmarking ci-dessous met en évidence la supériorité de Nespresso Business Solutions sur les autres alternatives. Le coût est le seul point faible de Nespresso Business Solutions, mais il est largement compensé par les autres dimensions (qualité assurée, choix, disponibilité immédiate, facilité de production, etc.).

Benchmarking des CDC pour Nespresso Business Solutions
et ses concurrents

N°	CDC	Nespresso	Concurrents			
			Machines expresso traditionnelles	Café soluble	Café filtre	Automates
1	Goût et qualité comparables aux cafés préparés par les meilleurs professionnels	4	3	2	2	2
2	Choix parmi différentes variétés de café	4	2	2	3	2
3	Image projetée	4	4	2	1	2
4	Design des machines	4	2	1	1	1
5	Facilité et disponibilité de production (rapide, pratique, simple, propre, portion individuelle...)	4	2	3	2	3
6	Confort d'achat et service après-vente (SAV)	4	2	2	2	3
7	Fiabilité et qualité constante	4	2	4	3	3
8	Prix de chaque café	2	3	2	3	3

Quelle est l'expérience client unique ?

Le procédé Nespresso Business Solutions est le seul système qui garantisse aux amateurs d'*expressos* de pouvoir vivre sur leur lieu de travail une expérience valorisante combinant le plaisir, la simplicité et l'esthétique, grâce à la préparation en quelques secondes et de manière très conviviale, à l'aide d'une belle machine peu encombrante et à un coût acceptable, de cafés prédosés réservés au monde professionnel, dont la qualité est garantie et dont le goût ainsi que la teneur en caféine sont choisis parmi une grande sélection de capsules en fonction de l'envie du moment.

Quels sont les facteurs critiques du succès ?

- Le succès des cafés haut de gamme (développement des Starbucks Coffee)
- Les exigences croissantes des collaborateurs en milieu professionnel (meilleur traitement)
- L'hédonisme sociétal
- La concurrence mondialisée
- La tendance à la réduction des coûts opérationnels

Quels sont les risques et les barrières à l'entrée (ainsi que les stratégies pour les gérer) ?

Les risques identifiés sont manifestement limités.

Risques	Conséquences	Mesures préventives
Non-acceptation du prix	Part de marché limitée et pression sur les marges	Communication sur la gratification qu'en retireront les collaborateurs et l'entreprise
		Démonstration que le coût total (temps de production et maintenance compris) est favorable à Nespresso Professionnel
		Focalisation sur les marchés haut de gamme moins sensibles au prix
		Lancement d'un pilote sur quelques marchés tests

Risques	Conséquences	Mesures préventives
Produit concurrent	Perte de parts de marché et pression sur les marges	Brevet Pénétration rapide du marché Accent sur la qualité et le plaisir Baisse éventuelle du prix des capsules si l'écart de prix est trop élevé Développement de l'intimité avec les clients (positionnement)
Échec commercial dans le milieu professionnel	Impact de notoriété	Lancement d'un pilote sur quelques marchés tests Fiabilité du système utilisant les capsules Nespresso Professionnel à assurer
Équipe commerciale inefficace	Pénétration trop lente	Direction assurée par un professionnel qui a fait ses preuves Recrutement soigné des vendeurs Formation intensive des vendeurs
Réaction d'autres unités de Nestlé qui se sentent menacées	Blocage du projet	Focalisation sur les marchés haut de gamme moins sensibles Ne pas proposer des machines ayant des débits comparables à ceux des automates

Quelles sont les incertitudes ?

La principale incertitude est celle du prix.

Incertitudes	Conséquences	Comment réduire le niveau d'incertitude ?
Non-acceptation du prix	Part de marché limitée et pression sur les marges	Réaliser une étude de marché sur le terrain Lancer un pilote sur quelques marchés tests Segmenter le marché pour renoncer aux clients trop sensibles au prix

Fiabilité et industrialisation des nouvelles capsules	Impossibilité de lancer le projet	Collaborer avec le département recherche et développement Obtenir la validation technologique de laboratoires externes sous mandat
Fiabilité et coût des machines à café	Insatisfaction des clients	Collaborer étroitement avec le producteur des machines Recruter des experts
Acceptation par Nestlé du risque de cannibalisation du Nescafé et des ventes de café pour les automates	Blocage du projet	Effectuer une consultation préalable Lancer un pilote sur quelques marchés tests et mesurer l'impact sur les autres produits

Quelles sont les ressources nécessaires pour réussir ?

Pour lancer le projet, les ressources suivantes (remplacées par des X, car les informations de Nespresso sont confidentielles) doivent être déployées :

- XXX € dont :
  - XXX € pour la mise au point technique du produit ;
  - XXX € pour l'unité de production ;
  - XXX € pour le marketing ;
  - XXX € pour le fond de roulement ;
  - XXX € pour les salaires ;
  - XXX € pour les locaux.

Le taux de rendement interne de ce projet est de XXX.

Quelles sont les prochaines grandes étapes ?

- Constitution de l'équipe
- Industrialisation des machines à café Nespresso Business Solutions
- Construction de l'unité de production des capsules
- Planification de la stratégie marketing

- Mise en place des équipes commerciales
- Commercialisation

Qui fait partie de l'équipe qui va réaliser le projet ?
XXX

Qu'attend-on spécifiquement pour aller de l'avant ?
Le feu vert de la direction avec mise à disposition des ressources demandées.

———

Et après ?

Une fois le plan d'affaires accepté et les ressources nécessaires disponibles, l'étape suivante consiste à lancer le projet. Plan et stratégie n'ont de sens que s'ils sont correctement mis en œuvre. Pour augmenter les chances de succès, il est recommandé de faire appel aux techniques traditionnelles de management de projet.

Le management de projet aide à contrôler la bonne utilisation des ressources et du temps, à coordonner les actions des collaborateurs, à gérer les contraintes, les incertitudes et les actions tactiques, etc. Bon nombre d'informations récoltées avec le modèle IpOp peuvent ainsi être reprises et exploitées dans le cadre de la gestion du projet, celle-ci étant le prolongement normal du modèle, dans la mesure où elle assure l'exécution du plan conçu avec ce modèle.

Les responsables du management de projet apprécient généralement beaucoup le recours au modèle IpOp, car il réduit le nombre de projets qu'ils sont amenés à gérer. Ceux qui sont éliminés en amont ne consommeront en effet pas inutilement des ressources avant d'être finalement abandonnés. Même si le management de projet aborde certaines des questions abordées par le modèle IpOp, il le fait avec un regard différent. Le modèle IpOp et le management de projet sont complémentaires, l'idéal est donc d'établir des passerelles entre ces deux approches.

Chapitre 17

La résistance s'organise

L'innovation a besoin de temps et de liberté pour s'épanouir au sein des organisations

---

Les points abordés dans ce chapitre

- *L'innovation est un défi managérial*
- *Un espace de liberté indispensable*

De la manière de gérer les résistances

David reçoit un perroquet pour son anniversaire. L'oiseau a pris de mauvaises habitudes et son vocabulaire est effrayant. Chaque mot qu'il prononce est injurieux ou pour le moins grossier.

David essaye de changer l'attitude de son perroquet en employant constamment des mots polis, en lui faisant écouter de la musique douce... Il finit par essayer tout ce qui lui passe par la tête, mais rien ne fonctionne. S'il hurle, c'est pire. S'il secoue l'oiseau, celui-ci devient de plus en plus déchaîné et grossier.

Finalement, dans un moment de désespoir, David met son perroquet dans le congélateur. Pendant un certain temps, il entend l'oiseau piailler, donner des coups de pattes, hurler, puis tout à coup, plus un bruit...

Ayant peur d'avoir blessé le perroquet, David ouvre rapidement la porte du congélateur. L'oiseau sort, s'installe calmement sur le bras tendu de David et dit : « Je suis désolé de t'avoir offensé par mon langage et mon attitude. Je te demande pardon. J'essayerai dorénavant de faire attention à mon comportement... »

Stupéfait du revirement d'attitude de l'oiseau, David est sur le point de lui demander ce qui l'a conduit à changer, quand le perroquet continue : « Pourrais-je savoir ce qu'avait fait le poulet à côté duquel je me trouvais ? »

La résistance à l'innovation et au changement est très fortement enracinée dans les organisations. Avant d'aborder les moyens d'institutionnaliser l'innovation et l'art de saisir les opportunités, il nous semble opportun d'énumérer certaines difficultés à prendre en compte.

L'innovation est un défi managérial

L'innovation est un vecteur de changement. Dans la mesure où elle conduit forcément à faire les choses différemment, elle représente une menace pour l'ordre établi. Les gens ne sont pas opposés à l'innovation elle-même, mais à ce qui pourrait avoir un éventuel impact négatif sur eux. Ils ont tendance à préférer la situation actuelle (même insatisfaisante), mais connue, à l'incertitude d'un futur qui pourrait être porteur de mauvaises nouvelles. Cette crainte les incite souvent à commencer par dire non.

Le comportement territorial empêche la coopération et la communication transversale. Lorsque des personnes protègent leur « fief », elles ne s'aventurent pas en dehors. Évitant ainsi d'aller sur le territoire des autres, elles espèrent en retour que personne n'envahira le leur. Le contact avec les autres pourrait mettre en évidence leurs propres faiblesses, et nul ne sait où ce constat pourrait les mener. Si cette attitude est un excellent moyen de maintenir le *statu quo*, elle ne favorise certes pas l'innovation et encore moins le changement. Or les changements les plus performants sont souvent ceux de nature transversale, qui impliquent plusieurs départements ou divisions.

Puisque les humains font preuve d'une tendance naturelle à préserver leur territoire, leur résistance au changement doit être prise en considération. Pour éviter la confrontation directe, plusieurs pistes peuvent être suivies :

- négocier avant que la guerre ne soit déclarée ;
- associer ou intéresser les « victimes potentielles » au projet pour réduire leur résistance ;

- partager une vision commune avec les « futures victimes », pour laquelle elles sont disposées à sacrifier certains de leurs privilèges actuels.

Parce qu'elle n'est pas facile à mettre en œuvre, l'innovation reste un défi managérial.

Les managers sont particulièrement vulnérables au changement, car leur travail consiste essentiellement à obtenir un résultat. Chargés de mission, ils sont responsables de la planification ainsi que des résultats obtenus par sa mise en œuvre. Comme les innovations pourraient entraîner une déviation du plan, et par là même affecter le dénouement attendu, les managers considèrent implicitement qu'elles sont sources de perturbation. Ils redoutent aussi souvent que l'innovation ne diminue leur maîtrise des opérations ou leur autorité.

Ne pas maîtriser ce qui se passe dans leur unité est, pour les managers, pire que de ne pas atteindre les objectifs fixés. En effet, « manager », c'est avant tout optimaliser la gestion des ressources, et les humains en sont justement une… Or avec les innovations, ces « ressources » peuvent échapper au contrôle des managers, qui se retrouvent incapables de répondre à certaines questions ou attentes résultant de l'innovation. Ainsi, l'innovation est souvent perçue comme une menace personnelle, surtout par ceux qui n'ont pas assez confiance en eux.

Le syndrome NIH (non inventé ici) est un obstacle classique de l'innovation. Cette fois encore, l'ego de certaines personnes les empêche d'accepter que d'autres puissent réussir. Elles estiment, souvent inconsciemment, que les bonnes idées ne peuvent émaner que d'elles (si ce n'était pas le cas, cela pourrait donner l'impression que d'autres personnes sont plus intelligentes qu'elles). Un puissant réflexe d'auto-protection les conduit donc à combattre les idées des autres. Pire encore, pour rester maîtres à bord et ne pas se sentir menacées, certaines peuvent aller jusqu'à ne recruter que des personnes peu compétentes et incapables d'innover. C'est l'effet pervers de ce syndrome…

L'innovation peut parfois conduire à la dispersion. Le plaisir qu'ils éprouvent à lancer une nouvelle idée pourrait pousser certains innovateurs à focaliser leur énergie sur de nouveaux projets, au lieu de se concentrer sur les activités prévues dans leur cahier des charges. C'est bien évidemment un obstacle à la réalisation des objectifs de l'organisation, en tout cas à court terme.

Plus les organisations sont riches, moins elles sont prêtes à prendre des risques. Dans la mesure où elles ne sont pas soumises à des pressions pour gagner davantage d'argent, elles ne veulent rien entreprendre qui pourrait compromettre leur pérennité.

Un espace de liberté indispensable

Pour innover, les collaborateurs ont besoin d'un peu de liberté. Du temps libre est nécessaire pour explorer de nouvelles idées (il est difficile de faire des découvertes quand on se concentre uniquement sur ses objectifs à court terme). En ce sens, $3M^1$, qui accorde à ses employés 10 à 15 % de temps libre, est une piste à suivre. Hélas, peu d'organisations l'ont imitée. La plupart des porteurs de projet le font avancer en dehors de leur temps de travail, ce qui sous-entend une motivation particulièrement forte.

Les règles et les procédures entravent l'innovation. Les dirigeants aiment les systèmes leur permettant de savoir où ils en sont par rapport à leurs objectifs et de gérer les risques. Cependant, plus ils mettent en place des procédures et des outils de contrôle, plus ils réduisent la liberté de leurs collaborateurs, ce qui a souvent pour effet d'« étouffer » l'innovation. Stimuler l'innovation sans perdre le contrôle est donc un autre défi managérial[2].

---

1. Pinchot Gifford III, *Intrapreneuring,* Harper & Row, Publishers, Inc., 1985.
2. Un défi que le logiciel IpOp Tool[TM] relève efficacement, puisqu'il permet précisément à la direction de savoir tout ce qui se passe en matière d'innovation (voir annexe en fin d'ouvrage).

La délégation est une des composantes de l'autonomisation. Les managers qui pensent que leurs collaborateurs sont incapables de faire le travail aussi bien qu'eux y voient une source de risque. Dans ces conditions, ils devraient tout faire eux-mêmes, puisqu'ils ne peuvent compter sur personne, or ce n'est pas très réaliste… Voici l'un des plus grands paradoxes du management : comment les dirigeants peuvent-ils faire confiance à des personnes moins qualifiées qu'eux pour innover ? Si elles sont capables de le faire, ne pourraient-elles pas prendre leur place ? Face à ce douloureux constat, certains dirigeants préfèrent ne pas faire confiance à leurs employés, sous prétexte qu'ils ne sont pas assez qualifiés !

La confiance est au cœur de l'innovation. Si elle fait défaut au sein de l'organisation, les collaborateurs préfèrent « jouer la sécurité » et ne pas s'exposer à la critique. Les innovateurs sont plus vulnérables que ceux qui se contentent de respecter les processus existants. Cette vulnérabilité subsiste tant que l'innovation ne s'est pas matérialisée par un succès. Jusque-là, les innovateurs ont besoin d'être sécurisés.

Chapitre 18

Après l'IpOp, le MpOp

Le management par les opportunités institutionnalise l'art de les saisir

---

Les points abordés dans ce chapitre

- *Autonomiser pour régner*
- *Les piliers du MpOp*
- *Les avantages du management par les opportunités*

De la confiance des patrons
envers leurs collaborateurs

Vingt PDG montent à bord d'un avion et apprennent que leur vol est le premier à bénéficier de la technologie « sans-pilote » : c'est un avion sans équipage.

On remet alors à chaque PDG une enveloppe indiquant que le logiciel de pilotage automatique de l'avion a été développé par le service informatique de son entreprise. Dix-neuf des PDG sortent rapidement de l'avion, chacun offrant une excuse différente.

Le seul PDG resté à bord continue, très détendu, à lire son journal. L'expérimentateur lui demande pourquoi il est si confiant dans ce premier vol sans équipage, et l'homme répond : « Si ce sont mes informaticiens qui ont développé ce logiciel, cet avion ne décollera jamais ! »

Pour institutionnaliser l'innovation, le secret consiste à mettre en œuvre une pratique managériale qui permette de saisir les opportunités. C'est la raison pour laquelle nous avons simplement appelé cette pratique le *management par les opportunités* (MpOp).

L'objectif du MpOp est de créer de la valeur pour l'organisation. Une idée qui n'est pas mise en œuvre ne vaut guère plus que l'encre utilisée pour l'exprimer. Les idées qui ont été concrétisées avec succès au profit de l'organisation sont les seules à mériter notre attention, car elles sont créatrices de valeur. Contrairement aux « boîtes à suggestions » — ces programmes qui récompensent les bonnes idées et encouragent les collaborateurs à en proposer sans leur demander d'en analyser la faisabilité —, le MpOp ne s'intéresse qu'à l'innovation réalisable, celle qui se traduit en avantages concrets et mesurables pour l'organisation. Avant de présenter un projet, les collaborateurs doivent faire la démonstration de ce qu'il est susceptible d'apporter. Jeter une idée en pâture aux dirigeants, en leur laissant le soin de décider de son intérêt et d'assurer sa mise en œuvre n'est pas un scénario envisageable avec le MpOp…

Autonomiser pour régner

Aucun dirigeant ne peut être au courant de tout ce qui se passe dans son unité, à moins qu'elle ne soit très petite. Dans toutes les organisations atteignant une certaine taille, la direction doit compter sur l'intelligence de ses collaborateurs pour résoudre les problèmes pratiques rencontrés sur le terrain. C'est ce que nous appelons l'*intelligence distribuée*. Elle reprend le concept de la *swarm intelligence*, qui montre comment des insectes, en tant que groupe, parviennent à accomplir des tâches complexes sans centralisation des ordres. Cette réussite est possible parce que chacun obéit individuellement à un petit nombre de règles. À l'intérieur du cadre organisationnel fixé par ces règles, chacun a la liberté d'agir comme bon lui semble, donc d'utiliser son intelligence en toute autonomie.

La direction invite ainsi *tous* les collaborateurs à identifier des opportunités, car ce sont eux qui sont en prise directe, chacun à leur niveau, avec la réalité du terrain. Le but est de les inciter à agir pour saisir au vol les opportunités. C'est le défi du management ! Chacun devrait être autorisé à chercher par tous les moyens la manière d'améliorer les processus, les produits, les relations ou le service après-vente, de réduire les coûts, de mieux satisfaire les besoins des clients, etc.

L'autonomisation[1] **stimule l'innovation** : ceux qui sont invités à innover pensent qu'on leur fait confiance et qu'on les autorise à contribuer au progrès de l'organisation. Ils doivent pouvoir ainsi :

- être créatif ;
- aller à la chasse aux opportunités ;
- avoir accès à l'information ;
- utiliser certaines ressources ;
- tester leur idée ;
- la mettre en application une fois qu'elle a été validée et acceptée.

Les piliers du MpOp

Institutionnaliser l'innovation requiert une approche cohérente et intégrée. Le MpOp, qui décrit les conditions requises pour la rendre possible, repose sur quatre piliers :

- une volonté réelle et sincère de la direction de promouvoir l'innovation à tous les niveaux de l'organisation – et pas seulement à celui des « têtes pensantes » ;
- la motivation des collaborateurs à innover, tout en y trouvant leur compte ;
- l'existence de conditions-cadres soutenant l'entrepreneuriat (formation des collaborateurs, outils de l'intelligence concurrentielle et instruments de gestion de l'innovation) ;

---

1. *Empowerment.*

- la mise à disposition d'outils offrant aux collaborateurs qui veulent développer leurs idées la possibilité de les mettre en œuvre (le modèle IpOp par exemple).

En l'absence d'un de ces piliers, il est très difficile d'obtenir des résultats optimaux. Des livres entiers ont été consacrés à chacun des trois premiers piliers, aussi nous bornerons-nous ici à quelques réflexions sur ce sujet. Nous nous concentrerons sur le quatrième pilier et sur les instruments de gestion du troisième.

1er pilier : l'engagement de la direction

Les patrons doivent véritablement s'engager à soutenir l'innovation, sinon leurs collaborateurs ne prendront pas le risque d'innover. La direction générale doit réserver un accueil très favorable aux innovations provenant de n'importe quel collaborateur. Si elle n'incite pas ses collaborateurs à prendre des initiatives, ils se démotiveront et tendront à penser « si l'on ne me fait pas confiance, pourquoi donnerais-je le meilleur de moi-même au lieu de m'en tenir au minimum requis pour ne fâcher personne ? » Les vieilles structures militaires fonctionnaient sur ce modèle, avec un niveau d'optimisation des ressources qu'il est difficile de qualifier d'idéal.

Les dirigeants qui ont confiance en eux ne se sentent pas menacés par les innovateurs. Ils ont compris que l'exploitation de l'intelligence et des qualifications de leurs équipes était un excellent moyen de faire progresser leur propre carrière. La direction a donc la responsabilité de ne récompenser et de ne promouvoir que ceux qui ne se sentent pas menacés par l'innovation. Faire émerger de futurs dirigeants, c'est-à-dire encourager chacun à montrer ce dont il est capable, devrait relever du cahier des charges de n'importe quel cadre.

Les dirigeants doivent encourager l'innovation « tous azimuts » pour faire la preuve qu'elle est l'affaire de chacun. Soutenir l'innovation tant non-technologique que technologique est une manière évidente de faire passer le message. Les collaborateurs tirent en effet leurs propres conclusions : si la direction alloue uniquement des ressources à l'innovation technologique, elle décourage automatiquement l'innovation non-technologique.

Une culture d'entreprise valorisant la fierté et l'identification encourage les innovateurs. Si ces derniers n'éprouvent aucune fierté à créer des avantages concurrentiels, l'entreprise aura peu de chances de les mobiliser. Il est du devoir de la direction d'identifier la contribution réelle des collaborateurs au succès, car la reconnaissance est pour eux une source essentielle de motivation. D'autres facteurs culturels et comportementaux peuvent bien sûr influencer l'envie d'innover. Notre propos n'est pas de les aborder, car ils sont abondamment traités par la littérature consacrée au leadership et à l'entrepreneuriat au sein de l'entreprise[1].

Les dirigeants donnent le ton. Leur attitude, leur comportement, leur personnalité et leur « style » dictent la culture d'entreprise. L'exemple qu'ils donnent influe donc directement sur la capacité d'innovation de leurs collaborateurs. Nous en avons vu devenir beaucoup plus motivés par l'arrivée d'un nouveau manager qui savait les stimuler. Nous avons aussi vu des collaborateurs très engagés perdre leur motivation sous la férule d'un chef directif focalisé sur le contrôle…

La mesure du niveau d'innovation devrait être un indicateur de la performance des dirigeants. Ces derniers ne peuvent ignorer que l'innovation est un ingrédient essentiel pour sécuriser l'avenir. On peut d'ailleurs se demander si les chefs d'entreprise qui se comportent comme de simples administrateurs de ressources pour réaliser des objectifs à court terme, sans soutenir l'innovation, font réellement leur travail…

2e pilier : la motivation des collaborateurs à innover

L'art de motiver est une composante essentielle du leadership. Si les collaborateurs ne sont pas motivés, ils ne feront aucun effort « spécial » au-delà du minimum requis pour conserver leur emploi. L'innovation est

---

1. *Intrapreneurship* ou *corporate entrepreneurship*.

malheureusement souvent considérée comme *spéciale*, parce qu'elle requiert effectivement un plus grand engagement de la part de son initiateur. Or cet engagement devrait justement être la norme.

Le « Que vais-je en retirer ? » est le filtre utilisé par les collaborateurs pour décider s'ils donneront le meilleur d'eux-mêmes. Ils le feront s'ils savent qu'ils pourront concrètement profiter des avantages résultant de leur capacité à innover. Parmi ces « bénéfices », nous pouvons citer (de manière non nécessairement cumulative) :

- la fierté ;
- une promotion ;
- un nouveau titre ;
- une liberté accrue ;
- de nouvelles responsabilités ;
- la mise à disposition d'un budget discrétionnaire ;
- l'allocation de ressources plus importantes ;
- une augmentation du temps libre pour explorer de nouvelles idées ;
- l'augmentation de la rémunération ou une participation financière au résultat.

Contrairement aux idées reçues, l'argent n'est pas la seule source de motivation, même si c'est un facteur important. En utilisant par analogie les concepts appliqués aux aspirations, la rémunération est, le plus souvent, un *satisfier*. Lorsqu'ils gagnent assez d'argent pour jouir d'un niveau de vie confortable conforme à leurs attentes, très nombreux sont les innovateurs qui apprécient d'autres formes de reconnaissance. De nombreux fonctionnaires et employés d'organisations à but non lucratif en sont l'illustration : ils sont motivés par un travail bien fait, même si leur rémunération est inférieure à celle du secteur privé. Combiner les diverses formes de reconnaissance (argent inclus) fournit l'incitation la plus stimulante, l'argent n'étant de toute façon pas suffisant pour maintenir la motivation à long terme.

La récompense doit être corrélée avec l'effort fourni et le résultat obtenu. Elle doit également être équitable par rapport aux autres collaborateurs de l'organisation. L'équité est une condition incontournable de la relation de confiance. Quand les employés peuvent montrer ce dont ils sont capables et que leurs efforts sont récompensés en conséquence, ils sont presque irrésistiblement amenés à faire un meilleur travail.

Attendre des employés qu'ils soient spontanément et naturellement motivés n'est pas réaliste. Le défi des dirigeants est en réalité d'éviter de contribuer à la perte de motivation. Il est en effet rare qu'un collaborateur commence un nouvel emploi avec une faible motivation. Confronté à la réalité désillusionnante de l'organisation, il en vient souvent à perdre son enthousiasme. Or il est très difficile de réanimer une motivation presque disparue. Il vaudrait de ce fait mieux former les cadres à la « non-démotivation » plutôt qu'à la « motivation », celle-ci relevant d'un exercice de résurrection !

Les valeurs individuelles doivent être en accord avec celles de l'organisation pour créer des conditions favorisant l'innovation. Des employés qui n'adhèrent pas aux valeurs de leur entreprise seront très probablement moins prêts à faire des efforts pour assurer son succès. Au contraire, si les valeurs de leur employeur sont les leurs, ils se sentiront investis d'une mission porteuse de sens. Les candidats sont donc tenus de vérifier, si possible, dans quelle mesure l'entreprise auprès de laquelle ils postulent a des valeurs compatibles avec les leurs. Les recruteurs devraient faire la même vérification.

3e pilier : les conditions cadres pour soutenir l'entrepreneuriat

Le leadership et la motivation ne suffisent pas : l'organisation doit également mettre en place des conditions-cadres favorisant l'innovation. L'existence d'un environnement favorable indique aux collaborateurs que la direction tient réellement à stimuler l'innovation : si ce n'était pas le cas, pourquoi se donnerait-elle la peine de mettre en place de telles conditions ?

Les conditions structurelles peuvent soit encourager l'innovation, soit devenir des obstacles[1]. L'existence d'un « centre de l'innovation[2] » qui peut fournir des ressources, accompagner les porteurs de projets ou leur donner des conseils est une des mesures favorisant un meilleur environnement entrepreneurial. Le fait d'encourager les cadres supérieurs à conseiller ou à parrainer des équipes entrepreneuriales est un autre facteur structurel susceptible d'influencer favorablement le processus. La nomination d'un « champion de l'innovation » est également essentielle pour encourager l'innovation.

Nous l'avons vu, la manière dont une organisation reconnaît et récompense les comportements entrepreneuriaux a un énorme impact sur les futurs innovateurs. L'improvisation pourrait avoir dans ce domaine un effet dévastateur, car seule une approche cohérente et structurée peut garantir un traitement équitable pour tous. Mettre en œuvre un programme de récompense bien pensé est donc primordial.

La quête d'informations

L'accès aux informations pertinentes est un élément critique pour l'innovation. En effet, sans information correcte, il est très difficile de prendre les bonnes décisions. De plus, il est essentiel de s'informer le mieux possible, afin de savoir ce qui existe déjà sur le marché. Il est donc important que l'organisation facilite l'accès à l'information utile, qu'elle soit interne ou externe. En raison de la quantité phénoménale de données qui peuvent aujourd'hui être consultées, le défi consiste à trouver l'information recherchée d'une manière rapide. Les outils de l'intelligence économique et concurrentielle sont heureusement disponibles pour relever ce défi et doivent être généralisés. Il faut cependant veiller à ce que les informations ne soient pas accessibles aux concur-

---

1. Les systèmes de contrôle et la bureaucratie sont par exemple deux obstacles classiques à l'innovation.
2. *Innovation hub.*

rents, cela fait manifestement partie des conditions-cadres à mettre en place. Ici encore, nous renvoyons les lecteurs à la littérature spécialisée.

L'identification des tendances, tant internes qu'externes, est aussi très utile. Elle peut fournir des avantages concurrentiels substantiels. Les veilles (pas seulement technologiques) font donc partie de manière intrinsèque du processus d'innovation. En détectant des besoins non satisfaits, on identifie des opportunités.

L'interprétation des informations est aussi importante que leur recherche. Face à la même information, les interprétations peuvent différer en fonction de l'état émotionnel de celui qui l'analyse, de l'historique, du contexte, des attentes, des aspirations personnelles, etc.

L'innovation est rarement solitaire. L'expérience a montré qu'en matière d'innovation, les équipes aboutissent généralement à de meilleurs résultats que les individus, notamment en raison du caractère pluridisciplinaire de nombreux projets. Le problème tient au fait que le comportement territorial, évoqué plus haut, apparaît comme un obstacle à la vraie coopération.

L'ignorance, combinée à la crainte de l'inconnu ou d'être confronté à ses propres limites, empêche souvent d'être réceptif. Ignorant ce que font nos « voisins », nous ne pouvons savoir s'ils possèdent des données intéressantes ou si nous en détenons qui pourraient leur rendre service. Ainsi, l'information ne circule pas efficacement et les collaborateurs sont moins enclins à coopérer.

La formation à l'entrepreneuriat

La formation à l'entrepreneuriat est le meilleur remède contre la crainte et l'ignorance. Les collaborateurs qui ont une compréhension plus holistique des affaires deviennent beaucoup moins « territoriaux ». Pour fournir cette « vue de généraliste », les MBA sont très efficaces. Néanmoins, ils exigent beaucoup de temps et il est impossible que chaque employé en suive un : il faudra donc assurer à ceux qui ne pourront y avoir accès une formation de généraliste.

La formation à l'entrepreneuriat, destinée aux cadres intermédiaires, devrait inclure des sujets tels que la vente, les relations publiques et la communication, la comptabilité, l'analyse financière, les techniques de négociation, le leadership, l'intelligence économique, la gestion d'équipe, les techniques de présentation, le droit, la gestion du stress, etc. L'objectif n'est pas de former des spécialistes, mais plutôt de sensibiliser les participants aux principes fondamentaux, en leur donnant un cadre de référence ainsi que le vocabulaire approprié pour communiquer avec les experts. Même s'ils n'acquièrent pas la maîtrise des outils présentés, les participants savent au moins qu'ils existent et auront la possibilité d'approfondir, dans le cadre de séminaires complémentaires plus poussés, les sujets qui leur semblent particulièrement pertinents.

La formation à l'entrepreneuriat devrait élargir l'horizon des participants en les amenant à prendre du recul par rapport à leur spécialité. Un expert en matière de gestion de portefeuilles au sein d'une banque peut ainsi réaliser qu'en ayant recours aux outils de relations publiques et de communication, il peut améliorer la visibilité de son département, tant sur le plan interne qu'externe. Non seulement cette opération valorisera son équipe, mais elle facilitera vraisemblablement le travail des acquisiteurs de clientèle de la banque en question.

L'éducation à l'entrepreneuriat a un impact sur la culture de l'entreprise. C'est une manière très efficace de faire passer des messages d'ordre culturel à un groupe. Les messages culturels incluent des dimensions, telles que l'éthique en affaires, la solidarité, l'esprit entrepreneurial, la responsabilité sociale, etc. qui sont difficilement enseignées par la formation professionnelle traditionnelle, issue de catalogues[1] (celle-ci se focalise généralement sur l'acquisition de compétences).

---

1. Le « catalogue de formation » représente l'offre des sessions de formation disponibles dans une grande organisation pour les collaborateurs qui veulent acquérir des compétences. Ceux-ci choisissent dans un « menu » les compétences dont ils ont besoin, mais il n'y a habituellement aucun lien entre les différentes sessions de formation.

Grâce à la formation à l'entrepreneuriat, il est possible de développer la collaboration transversale. Comme les participants proviennent de différents départements de l'organisation, ils apprennent également à travailler ensemble. Cette approche a donné d'excellents résultats dans différents environnements[1]. Lorsque la coopération interdépartementale existe, elle encourage généralement les collaborateurs à innover en combinant les diverses ressources de l'organisation.

Il est également recommandé de donner aux cadres les moyens d'encadrer l'innovation, par exemple avec un logiciel[2], pour éviter que la peur de perdre le contrôle ne les amène à étouffer les tentatives. À partir du moment où les choses sont maîtrisées, le niveau de la menace baisse considérablement, et la réceptivité à l'innovation augmente.

Pour « capitaliser » l'expérience accumulée en matière d'innovation, il est souhaitable de mettre en place une gestion du savoir. C'est une condition indispensable pour éviter de refaire les mêmes erreurs ou de réinventer la roue. Or les outils de gestion du savoir sont souvent vécus comme une contrainte par les utilisateurs, qui sont assez réticents à alimenter la base de données. Il faut donc leur montrer les bénéfices qu'ils pourront tirer de cet outil sur le plan personnel[2].

4e pilier : mettre à disposition une boîte à outils

L'ignorance de la marche à suivre pour saisir une opportunité est un facteur de blocage classique. Beaucoup de collaborateurs renoncent à exploiter une idée simplement parce qu'ils ne savent pas comment s'y prendre ou par peur d'oublier la prise en compte d'un paramètre. Ils se contentent d'avoir eu l'idée et évitent ainsi l'humiliation d'un refus ou d'un échec.

---

1. Ce type de formation a été introduit en Suisse avec succès sous le nom de Micro-MBA™. Son impact sur les participants a été évalué et un article de *Gestion Hospitalière* de mai 2005 présente notamment les résultats d'une étude à ce sujet.
2. Voir IpOp Tools™ en annexe.

L'existence d'un processus, comme le modèle IpOp facilite le passage à l'acte. Le fait de savoir par où commencer quand ils ont une idée intéressante incite les porteurs de projet à aller de l'avant. Lorsque le processus aboutit à une validation, il augmente *de facto* la confiance des collaborateurs. Enseigner le processus aux collaborateurs est de surcroît une manière de les autoriser à innover. Ce devrait être une condition-cadre.

De bons outils ne donnent pas forcément de bons résultats, d'où la nécessité de former les collaborateurs ! Une utilisation correcte des outils mis à disposition est essentielle, sinon ils peuvent devenir contre-productifs ou même dangereux. Une perceuse dans les mains d'un menuisier peut faire des merveilles, mais dans celles d'un marin inexpérimenté, elle risque de faire couler le bateau. Il est important de former les collaborateurs à la bonne utilisation des outils qui leur sont proposés.

Les avantages du management par les opportunités

En mettant l'accent sur la nécessité de donner aux porteurs de projets un modèle qui leur tienne lieu de guide durant le processus, le MpOp insiste sur l'effet synergique des quatre piliers. Même si chaque pilier individuel a des mérites en fournissant des résultats spécifiques, c'est leur combinaison qui aboutit au résultat le plus performant.

Le MpOp correspond à un état d'esprit focalisé sur l'acquisition d'avantages concurrentiels par la saisie d'opportunités. Outre ces avantages concurrentiels, dont profite l'organisation, cet état d'esprit améliore la satisfaction professionnelle des collaborateurs, augmente leur motivation et diminue la rotation du personnel. Ce sont évidemment des avantages concurrentiels indirects.

Le MpOp favorise la gestion du changement. Puisque le MpOp encourage tous les collaborateurs à se comporter en chasseurs d'opportunités, ils deviennent *de facto* des agents du changement.

Le MpOp promeut l'innovation « émergente », celle dont l'initiative revient à la base et pas uniquement à la direction. C'est une différence importante par rapport aux programmes traditionnels de gestion du changement, qui s'appuient généralement sur une démarche « du haut vers le bas ». En effet, la décision de procéder à un changement est prise en haut de la pyramide et le but de l'exercice consiste à essayer de convaincre la base d'y adhérer. Avec le MpOp, c'est l'inverse qui se produit, dans la mesure où l'autonomisation des collaborateurs les amène à proposer des projets déjà aboutis aux dirigeants. Ces derniers n'ont plus qu'à les évaluer pour décider de leur mise en œuvre éventuelle.

Le MpOp réduit le niveau de stress dans les organisations. Comme le MpOp est une vraie démarche d'autonomisation, les collaborateurs ont davantage de contrôle sur leur travail. Or le manque de contrôle et de pouvoir de décision est une source réelle de stress. Lorsque les collaborateurs ont à exécuter des décisions qui leur sont imposées, ils ont un sentiment d'impuissance et l'impression de subir une contrainte. En responsabilisant les collaborateurs, le MpOp contribue donc très nettement à la réduction du stress.

Le MpOp convient particulièrement à ceux qui donnent la priorité au côté droit du compte de pertes et profit, réservé aux revenus (le côté gauche concerne les dépenses). Il s'agit donc de ceux qui s'intéressent prioritairement aux moyens d'augmenter les produits, même si certaines innovations apportent une réduction des coûts. Il n'y a pas de limite à l'augmentation des produits, alors que la réduction des coûts est évidemment condamnée à ne pas dépasser un certain plancher.

Le MpOp complète les autres pratiques de management. Rien n'empêche de mettre en œuvre le MpOp comme complément au management par objectifs (MBO). Le MpOp se concentre sur l'innovation proactive, ce qui est bien sûr compatible avec d'autres approches managériales. Il n'y a théoriquement aucune objection à introduire le MpOp dans une organisation pour autant qu'elle soit prête à mettre en œuvre les quatre piliers. C'est essentiellement une question de compatibilité avec la culture de l'organisation.

Le MpOp requiert avant tout de la direction un réel engagement soutenant l'innovation et l'autonomisation. C'est le premier pilier, mais aussi le premier obstacle. Il n'y a pas suffisamment de dirigeants prêts à autonomiser leurs collaborateurs et à les encourager à innover, en raison vraisemblablement de la force de l'inertie, de la crainte du changement, etc. Ce manque d'engagement des dirigeants correspond à un domaine d'investigation qui mériterait d'être exploré.

Conclusion

Même si certains ont dans ce domaine plus de facilités que d'autres, saisir des opportunités est à la portée de tous, à condition de savoir comment procéder. L'intérêt d'un processus comme le modèle IpOp est de donner un cadre de référence ainsi qu'une marche à suivre. Celle-ci oblige à se poser un certain nombre de questions clés pour éviter les regrets *a posteriori*.

Ceux qui savent spontanément comment s'y prendre ont, d'une manière ou d'une autre, intériorisé un processus de saisie des opportunités. C'est en les observant que la modélisation du processus IpOp a été possible, pour le bénéfice de ceux qui apprécient d'avoir une démarche plus structurée et qui ne font pas entièrement confiance à leur intuition.

Le modèle IpOp fait appel d'une manière générale à des composants assez simples et déjà connus. Son originalité tient aux liens établis entre ces composants. La compréhension de ces liens favorise la maturation du projet.

Le recours à un modèle guidant le processus de l'innovation ne devrait pas réduire la part réservée à la créativité et à l'imagination. Le fait d'être créatif ne dispense pas de faire preuve de rigueur dans la planification visant à augmenter ses chances de succès. Les architectes sont ainsi très créatifs sans que cela ne les exonère d'être rigoureux dans la construction des bâtiments qu'ils conçoivent. Rigueur et créativité ne s'excluent pas l'une l'autre, elles se soutiennent au contraire mutuellement.

La tentation du porteur de projet est de « foncer », en se fiant à son intuition. Même si l'analogie est un peu exagérée, nous pourrions le comparer à un pilote d'avion qui se fierait à son intuition pour décoller, voler et atterrir : la capacité d'improvisation, la créativité spontanée et le manque de préparation ne sont pas particulièrement rassurants pour les passagers de l'avion et, au même titre, pour les investisseurs et les autres parties prenantes du projet.

Le recours à un processus gérant l'innovation n'est pas seulement réservé aux porteurs de projets. Les organisations ont aussi les moyens de mettre en place les conditions institutionnelles favorisant l'innovation en leur sein. Les quatre piliers du management par les opportunités leur permettent de dynamiser la recherche d'avantages concurrentiels.

L'art de saisir les opportunités concerne donc autant les individus que les organisations. Il leur appartient toutefois de faire l'effort de les saisir. Dans un monde qui évolue si rapidement et où l'innovation est synonyme de survie, tout espoir n'est donc pas perdu...

Annexe

Le logiciel est le meilleur ami du modèle IpOp

Une des spécificités du modèle IpOp est d'exploiter les liens entre plusieurs dimensions susceptibles d'avoir un impact sur le succès d'un projet, par exemple entre les actions tactiques et les CDC ou les incertitudes. Le problème est que l'analyse multidimensionnelle devient parfois difficile à maîtriser lorsque la quantité d'informations augmente.

Un logiciel peut heureusement faciliter la gestion de ces liens. Le logiciel[1] IpOp Tools™ s'appuie sur une base de données qui enregistre toutes les informations relatives à l'innovation dans une organisation. Toutes les informations (les aspirations des parties prenantes, les obstacles, les risques, les KISS, les actions tactiques, etc.) sont stockées et labellisées conformément à un vocabulaire commun. Le logiciel amène ainsi progressivement ses utilisateurs à tisser des liens entre tous ces éléments d'une manière très conviviale. Il évite notamment aux porteurs de projet d'avoir à mémoriser le modèle, puisqu'il gère le processus de manière transparente et intuitive.

Comme soutien à la réflexion, le logiciel guide les innovateurs en les amenant indirectement à organiser et à structurer leur pensée. Les porteurs de projet ont recours au logiciel pour valider une idée : soit ils l'éliminent, soit ils établissent son potentiel. Le logiciel peut être utilisé individuellement. Lorsqu'il l'est par des groupes de travail, il les

1. www.IpOpModel.net

conduit à améliorer la qualité de leur analyse en stimulant une remise en question mutuelle des informations à saisir dans le système. Les questions posées par le logiciel forcent les groupes à débattre pour trouver un consensus sur les réponses à donner. Il structure leur réflexion en fournissant un cadre et un vocabulaire adapté.

Un système centralisé permet d'éviter le foisonnement de systèmes indépendants et d'avoir une vision d'ensemble de tout ce qui se passe au sein de l'organisation en matière d'innovation. Centralisation ne veut pas nécessairement dire transparence tous azimuts : un système de droits d'accès gère en effet la confidentialité tout en autorisant la direction à visualiser l'ensemble.

Le logiciel tient également lieu de système de gestion de l'innovation au niveau de l'entreprise. Quand les utilisateurs ont saisi leurs informations dans le système pour faire avancer leur propre réflexion, ces informations sont stockées dans une base de données qui peut être employée pour :

- savoir quels sont les projets innovants envisagés par les collaborateurs. Ce *monitoring* est facile à faire puisque tous les projets sont structurés selon le même format et le même vocabulaire, indépendamment de la nature de l'innovation (produit, service, vente, recherche et développement, processus, gestion, etc.) ;
- faire le tri (en effectuant des comparaisons sur la base de critères homogènes) des multiples projets présentés à la direction ;
- accompagner ou coacher à distance les porteurs de projet. Ayant accès au fruit de leur réflexion, on peut de manière asynchrone les encourager ou leur faire des suggestions ;
- obtenir des informations d'autres collaborateurs ou recruter des volontaires motivés par un nouveau projet ;
- vérifier si une idée a été déjà envisagée dans le passé et comprendre pourquoi elle n'a pas été retenue ;
- extraire des enseignements à partir des expériences antérieures, puisque toutes les idées sont stockées dans la base de données, y compris celles

auxquelles l'entreprise a renoncé. Il est ainsi possible, rétroactivement, de comparer les résultats effectifs et les choix initiaux. Généralement, ceux qui se plient à ce genre d'analyse comparent les résultats obtenus avec les actions tactiques retenues. Il est rarissime qu'ils comparent aussi les résultats avec les actions tactiques non retenues et généralement… tombées dans l'oubli. Grâce à la base de données, il est ainsi même possible d'analyser *a posteriori* la pertinence des actions tactiques auxquelles on a renoncé ;

- assurer, au sein de l'entreprise ou de l'organisation, la transparence des critères d'évaluation des projets, permettant aux innovateurs de savoir « à quelle sauce ils vont être mangés » ;

- recycler les idées ou les actions tactiques d'un projet dans le cadre d'un autre ou même dans un autre contexte ou une autre zone géographique (certaines aspirations des parties prenantes seront par exemple très probablement les mêmes, indépendamment du projet considéré). Cela signifie que des idées qui n'ont pas été retenues dans un projet pourraient très bien être mises en œuvre ailleurs avec succès ;

- conserver l'historique de la « paternité » des projets. Celui qui a eu l'idée initiale pourra ainsi bénéficier de la reconnaissance à laquelle il a droit. Cela évite aussi l'appropriation de ses idées par d'autres ;

- faire du *data mining* pour identifier des tendances intéressantes dans l'innovation.

Les entreprises disposent ainsi d'un outil permettant de gérer non seulement l'innovation, mais aussi le savoir lié à l'innovation. Sans cela, il leur est difficile d'avoir la maîtrise de l'ensemble des initiatives mises en œuvre. Cela est particulièrement vrai lorsque l'innovation n'est pas limitée à la recherche et au développement, mais couvre toutes les formes possibles (processus, marketing, etc.).

Le simple fait de mettre à disposition des collaborateurs un tel logiciel montre combien la direction tient à l'innovation, et combien elle a foi dans le potentiel de son personnel. Ce logiciel a été adopté pour gérer des projets innovants (avec une application

Internet ou Intranet) par des sociétés multinationales et des centres de recherche aussi bien que par des start-up ou même des organisations à but non lucratif.

En matière de gestion du savoir, le plus difficile est de convaincre les détenteurs de l'information de la consigner dans une base de données. Le fait que les innovateurs tirent personnellement parti de l'utilisation d'un logiciel réduit considérablement leur résistance à alimenter la base de données. Plus ils entrent d'informations, plus leur idée ou leur projet peut mûrir, et plus ils bénéficieront personnellement du succès. La condition « Que vais-je en retirer ? » étant satisfaite, les usagers n'ont plus d'objection à émettre pour alimenter l'outil de gestion du savoir.

Enfin, il ne suffit pas de mettre le logiciel IpOp Tools™ à la disposition de tous les employés d'une organisation, il faut bien évidemment qu'ils apprennent à l'utiliser et qu'ils connaissent le vocabulaire utilisé.

Les résultats du MpOp

Le MpOp a été introduit, avec des degrés d'intensité différents, dans des organisations des secteurs publics et privés, des hôpitaux ou encore des organisations à but non lucratif.

Le MpOp stimule l'engagement des collaborateurs. C'est un des « effets secondaires » qui a été identifié après l'introduction du MpOp dans la division Field marketing d'Oracle. Lancée par Alfonso Di Ianni, le patron de cette division, cette initiative a nettement motivé son équipe après une phase de restructuration qui avait affecté le moral des troupes. Alfonso Di Ianni soutenait clairement l'innovation. Il a mis en œuvre différentes actions visant à motiver ses collaborateurs ainsi qu'un certain nombre de conditions-cadres. Les programmes de formation au modèle IpOp sont venus compléter ce dispositif pour dynamiser, avec succès, le comportement entrepreneurial de son équipe.

Le MpOp donne des résultats mesurables. Bien que nous n'ayons pas implanté chez Oracle les quatre piliers du MpOp avec la même intensité, les résultats suivants ont pu être mesurés :

- 56 % des participants ont, dans les trois mois suivant la formation, lancé de nouveaux projets qu'ils n'auraient pas proposés s'ils n'avaient pas suivi le séminaire IpOp ;
- 87 % des participants ont utilisé, durant les trois mois qui ont suivi le séminaire IpOp, tout ou partie des outils qui y ont été présentés.

Des résultats comparables ont été obtenus dans d'autres organisations, même si aucune mesure systématique n'a été faite. *A contrario*, aucun signe n'a montré que l'introduction du MpOp ait abouti à des résultats décevants.

La présentation du modèle d'IpOp aux collaborateurs a pour effet de leur donner envie de l'utiliser. Ils commencent généralement à flirter ensuite avec l'innovation : statistiquement, entre 33 % et 56 % des personnes suivant une formation IpOp expriment le désir de se jeter à l'eau, tout en sachant que ce sera pour eux un surcroît de travail. C'est l'effet incitatif de la mise à disposition d'outils.

Les outils comme IpOp Tools™, qui améliorent l'encadrement et le contrôle de l'innovation, peuvent réduire la résistance des dirigeants à envisager le MpOp.

Glossaire

Expression	Définition	Anglais
Action tactique	Action concrète visant à réaliser la définition du succès, composante du plan d'action	*Tactical move*
Aspiration	Attente des parties prenantes qu'elles souhaitent voir satisfaite	*Aspiration*
Aubaine	Opportunité environnementale qui peut contribuer à l'exploitation de l'opportunité (c'est un *facteur*)	*Opportunity*
Autonomisation	Fait d'autoriser les collaborateurs à prendre des initiatives	*Empowerment*
Avantage concurrentiel	Caractéristique difficile à imiter qui permet de mieux satisfaire les clients que les concurrents	*Competitive advantage*
Barrière à l'entrée	Obstacle incontournable, particulièrement difficile à surmonter	*Barrier to entry*
Benchmarking	Comparaison de la performance relative de chacun des concurrents (ou alternatives) pour chacun des CDC ciblés	*Benchmarking*
Besoin	Attente non satisfaite des clients auxquels on s'adresse	*Need*
CDC	Voir *Critère de décision du client*	*CDC*

Chaîne de valeur	Ensemble des activités créatrices de valeur et nécessaires pour que le produit ou le service donne complète satisfaction au client	*Value chain*
Concurrent	Alternative susceptible, d'une manière ou d'une autre, de satisfaire les besoins du client ou d'accaparer son attention	*Competition*
Contrainte	Règle incontournable qu'il faut respecter (librement adoptée, imposée par l'organisation ou même l'environnement externe)	*Constraint*
Critère de décision du client (CDC)	Critère utilisé par le client pour faire son choix parmi les différentes options qui lui sont proposées par les concurrents pour satisfaire ses besoins	*Client Decision Criteria*
Décideur	Toute personne détenant un pouvoir de décision susceptible d'influencer le destin du projet (investisseur, chef, dirigeant, etc.)	*Decision maker*
Déclaration d'ECU	Explicitation de la solution capable d'assurer une expérience client unique	*UCE statement*
Déclaration d'opportunité	Explicitation du besoin que l'opportunité tente de satisfaire, ainsi que du public concerné	*OpportuNeed statement*
Définition du succès	Liste des objectifs, pour chaque indicateur de succès et pour chaque jalon, qui doivent être atteints pour considérer que le projet a réussi	*Definition of success*
Driver	Aspiration dont la satisfaction n'a pas de limite supérieure ; plus on peut la satisfaire, plus les parties prenantes concernées seront comblées	*Driver*
ECU	Expérience client unique	*UCE*

Effet collatéral	Effet secondaire d'une action tactique ou du plan d'action	*Collateral effect*
Elevator pitch	Présentation succincte du projet (ne dépassant pas une minute) visant à capter l'attention de l'auditeur	*Elevator pitch*
Entrepreneur	Porteur d'un projet entrepreneurial dans le contexte de l'entrepreneurship (ou, dans cet ouvrage, d'un projet au sein d'une entreprise existante)	*Entrepreneur*
Entrepreneuriat, entrepreneurship	Activité entrepreneuriale visant à lancer une start-up	*Entrepreneurship*
Envergure	Périmètre ou limites du projet (géographique, des fonctions, des clients, etc.)	*Scope*
Éventualité	Facteur dont la réalisation a une probabilité incertaine de concrétisation	*Eventuality*
Facteur	Paramètre sur lequel on a généralement peu d'influence, mais qui est susceptible d'avoir un impact (positif ou négatif) sur la possibilité de réaliser la définition du succès du projet considéré	*Factor*
Incertitude	Information manquante, mais qui est susceptible d'être vérifiée, au moins partiellement, de manière à réduire le niveau de l'incertitude	*Uncertainty*
Indicateur clé de performance	Indicateur à des fins managériales pour mesurer la performance d'une entité	*Key Performance Indicator (KPI)*
Indicateur clé de succès (KISS)	Indicateur susceptible d'être utilisé pour mesurer la réussite du projet	*Key Indicators of Success (KISS)*

Intelligence concurrentielle	Méthodes de recherche d'informations sur le marché, les produits, les clients, les concurrents, les besoins, etc.	*Competitive intelligence, business intelligence*
Intrapreneur	Porteur d'un projet entrepreneurial au sein d'une entreprise existante dans le contexte de l'intrapreneurship (dans cet ouvrage, c'est le terme d'entrepreneur qui est aussi utilisé en lieu et place)	*Intrapreneur, corporate entrepreneur*
Intrapreneurship ou intrapreneuriat	Activité entrepreneuriale visant à lancer un projet innovant au sein d'une entreprise existante (dans cet ouvrage, c'est le terme d'entrepreneurship qui est aussi utilisé en lieu et place)	*Intrapreneurship, corporate entrepreneurship*
IpOp	Innovation par les opportunités	*IbOp*
KISS	Indicateurs clés de succès	*KISS (Key Indicators of Success)*
MpOp	Management par les opportunités	*MpOp*
Mission	Expression des intentions réalistes qu'une entité souhaite concrétiser en mettant en œuvre sa stratégie	*Mission*
Modèle économique	Combinaison des paramètres d'une activité donnée ayant pour objectif d'assurer l'obtention des ressources nécessaires pour satisfaire ses parties prenantes	*Business model*
Objectif	Valeur attribuée à un indicateur à un moment donné	*Objective*
Obstacle	Difficulté connue placée sur le chemin vers la définition du succès (c'est un facteur)	*Obstacle*

Opportunité	Combinaison d'un ou plusieurs besoins non satisfaits et d'une solution susceptible de les satisfaire	Opportunity
Opportunity case	Document présentant de manière succincte (quelques pages) les raisons pour lesquelles le projet mérite d'être réalisé ; il permet notamment de vérifier l'intérêt éventuel d'un décideur	Opportunity case
Partie prenante	Personne ou entité à qui le porteur de projet a des comptes à rendre (il doit donc prendre en compte ses aspirations)	Stakeholder
PEST	Analyse de l'environnement portant sur les dimensions politiques, économiques, sociales ou sociologiques et technologiques.	PEST
Plan B	Plan de réserve au cas où une éventualité se concrétiserait, ou si le plan principal ne se déroulait pas comme prévu	Contingency plan
Plan d'actions	Ensemble organisé des actions tactiques retenues pour réaliser un projet	Action plan
Plan d'affaires	Document décrivant les modalités de la mise en œuvre du plan permettant de concrétiser le projet ainsi que l'état du marché	Business plan
Ressources	Éléments nécessaires pour réaliser le plan d'action (argent, personnes, espaces, équipement, etc.)	Resources
Risque	Éventualité dont la réalisation a une probabilité incertaine de concrétisation (un facteur)	Risk
Satisfier	Aspiration pour laquelle il faut juste s'assurer d'atteindre le seuil identifié pour satisfaire suffisamment les parties prenantes concernées	Satisfier

Solution	Manière (généralement innovante) de satisfaire au moins un besoin non satisfait	*Solution*
Start-up	Nouvelle entreprise en phase de démarrage, jeune pousse	*Startup*
SWOT	Analyse stratégique fondée sur les forces, les faiblesses, les opportunités et les menaces	*SWOT (Strengths, Weaknesses, Opportunities, Threats)*
Terminators	Indicateurs utilisés pour arrêter le projet si un niveau minimum prédéterminé n'est pas atteint	*Terminators*